제 2 판

Practice in Diagnostics of Korean Medicine

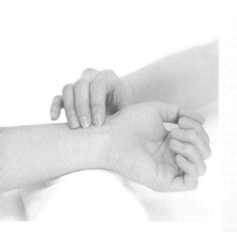
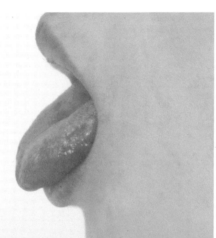
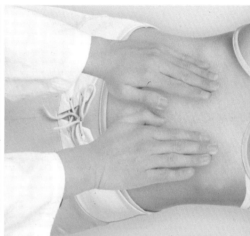

한의진단학
실습

한의진단학실습 편찬위원회

집필 / 대구한의대학교 정현정 / 동국대학교 박원환
동의대학교 김경철 · 류경호 / 부산대학교 김기왕
상지대학교 남동현 · 신상훈 / 원광대학교 정현종
대한한의진단학회 김태희 · 김태훈 · 이광규 · 이상영 · 최진용

교정 / 가천대학교 임형호
동국대학교 박성윤
동신대학교 나창수
부산대학교 김기왕
우석대학교 오용택

군자출판사

한의진단학 실습 제2판

첫째판 1쇄 인쇄 | 2014년 2월 17일
첫째판 1쇄 발행 | 2014년 2월 24일
둘째판 1쇄 발행 | 2017년 2월 24일
둘째판 2쇄 발행 | 2021년 1월 22일

지 은 이 한의진단학 실습 편찬위원회
발 행 인 장주연
편집디자인 김영선
표지디자인 이상희
발 행 처 군자출판사(주)
         등록 제4-139호(1991. 6. 24)
         본사 (10881) **파주출판단지** 경기도 파주시 회동길 338(서패동 474-1)
         전화 (031) 943-1888   팩스 (031) 955-9545
         홈페이지 | www.koonja.co.kr

ISBN 979-11-5955-148-2

정가 30,000원

CONTENTS

목차

제1단원

망 진

Chapter 1

망진 望診 / 학습내용 요약

학습목표

▶ 시각을 통하여 진단 정보를 얻는 방법의 배경이론을 이해하고, 환자의 정신상태, 면색, 형체, 동태, 국소상황, 설상, 분비물과 배설물의 색·질·양 등의 변화를 관찰하는 방법을 습득하며 망진을 통하여 변증을 임상에서 원활히 수행할 기본 능력을 배양한다.

▶ **망진望診이란** 시각視覺을 통해 환자의 정신 상태, 면색面色, 형체形體, 동태動態, 국소 상황, 설상舌象, 분비물, 배설물 등의 변화를 관찰하는 것. 『난경·61난』에서는 망진을 사진 가운데 첫째가는 경지[神]의 진단 방법으로 평가.

▶ **망진의 원리** 인체는 하나의 유기적인 총체. 따라서 인체 내부의 변화를 외부에서 관찰할 수 있음. 『단계심법丹溪心法 (1481)』에서는 "안에 있는 것은 반드시 바깥에 드러난다(有諸內, 必形諸外)"고 지적.

▶ **망진의 내용** 인체가 나타내는 색, 모양, 자세, 움직임과 정신적 활동이 모두 망진의 대상이 되며 크게 전신의 망진과 국소의 망진으로 구분할 수 있음(그림 1-1).

그림 1-1. 망진의 포괄 영역

신神의 망진

▶ **신神** 인체 생명 활동의 총칭(생명 활동이 밖으로 드러나는 것).

광의의 신 인체의 생명 활동을 총칭하며, 신지神志 · 면색 · 형체 · 동태 · 언어 · 호흡 및 외계의 자극에 대한 반응 등을 포괄(=精神, 神氣).

협의의 신 사람의 사유와 의식 활동(=神明, 神志).

▶ **망신望神** 안색, 언어, 행동거지, 반응, 표정 등을 통해 정신적 활동이 원활한지 그렇지 않은지 관찰하는 것. 환자의 초보적 인상을 얻는 과정.

▶ **망신望神의 의의** 망신을 통해 정기精氣의 성쇠, 병세의 경중을 분석, 예후의 길흉吉凶을 추측할 수 있음.

▶ **신神과 형체形體**

형체와 신은 하나[形神合一, 形與神俱] 형체가 있어야 신이 존재하며, 형체가 건강해야 신이 왕성함.

신이 왕성 신이 왕성하다는 것은 골격이 크고 흉곽이 넓고 두터우며 힘살이 충실하고 피부가 매끄럽고 촉촉[潤澤]하며 형체가 강건하고 장대長大하며 내장이 견실하고 기혈氣血이 왕성하다는 것.

신이 쇠약 신이 쇠약하다는 것은 골격이 세소細小하고 흉곽이 좁고 야위었으며 피부가 건조하며 형체가 쇠약衰弱하고 내장이 취약하며 기혈이 부족하고 병이 많다는 것.

▶ **신神과 정精, 기氣**

정과 신의 관계 정은 신의 기초

① 신은 선천지정先天之精에 의해 생성되고 후천지정後天之精에 의해 자양滋養됨.

② 신의 물질적 기초가 되는 것이 정.

『황제내경 · 영추 · 본신本神』에서는 "부모의 정이 얽힌 것을 신이라 한다(兩精相搏謂之神)"라고 하였고 같은 책의 『평인절곡平人絶穀』에서는 "신이란 음식물의 정기이다(神者, 水穀之精氣也)"라고 하였음.

정, 기와 신의 관계 정과 기는 모두 신의 통제를 받음

▶ **망신望神과 눈[眼]**

① 오장육부의 정기精氣는 모두 눈으로 모임.

② 깨어있으면 신은 눈[眼]에 깃들고, 잠들면 신은 심心에 깃든다.

③ 신은 온몸을 주재하여 여러 곳에 반영되지만, 특히 눈빛[眼光]에 뚜렷이 나타남.

④ 안신眼神의 변화를 관찰하는 것이 망신의 주요 관건.

『황제내경 · 영추 · 대혹론大惑論』에서는 "눈은 심心의 심부름꾼이며 심은 신이 깃드는 곳이다(目者, 心之使也; 心者, 神之舍也)", "오장육부의 정기가 모두 눈으로 올라가 그(안구 각 조직의) 정기가 된다(五臟六腑之精氣, 皆上注於目而爲之精)"고 함.

▶ 득신得神, 실신失神과 가신假神 - 의의와 관계

득신(有神) 신神이 있는 것, 정精과 기氣가 충족되어 있고 신神이 왕성한 상태의 표현.

실신(無神) 신이 없는 것, 정기精氣가 휴손虧損되고 신이 피폐해진 상태의 표현(循衣摸床, 撮空理線).

가신 사경死境 직전의 환자가 잠시 정신상태가 호전되는 현상.

☞ 모든 것이 일시적으로 갑자기 좋아짐. 눈빛이 갑자기 빛나고 안색이 갑자기 붉어지며, 식욕이 갑자기 증가하고 쉴 새 없이 말을 함.

☞ 병세 호전은 점진적으로 이루어지는 것이 정상적인 과정인데, 가신은 일시적으로 갑자기 좋아지는 변화를 볼 수 있는 것이 특징.

표 1-1. 득신, 소신, 실신 및 가신의 감별

항목	득신得神	소신少神	실신失神	가신假神
의식	의식 뚜렷, 자연스러운 표정	부진不振	의식 혼미, 표정 냉담	갑자기 일시적으로 정상
언어	정상	나언懶言	착란錯亂	중언부언[言語不休]
눈	광채가 있고 안구 활동이 민첩, 기백 있게 반짝임	신기神氣 결핍	눈빛이 흐리고 생기가 없으며, 활동이 지둔遲鈍하다	눈빛이 흐렸으나 갑자기 광채가 나고 밝아짐
호흡	순조로움	소기少氣	고르지 못하고 호흡이 미약하거나 천촉喘促	
면색	밝고 윤기 있음	영양이 불량한 모습 [面色少華]	어둡고 광채가 없음[晦暗無光]	영양 불량[面色無華], 양쪽 광대뼈가 화장한 듯 붉음
형체	건장한 근육	피로하고 힘 없는 모습. 근육이 취약	수척	
동작반응	동작 정상	동작이 느림	반응 지둔, 손이나 침상을 더듬고 [循衣摸床] 허공을 휘저음[撮空理線] 때로 두 손을 꼭 쥐고, 이를 악묾 [牙關緊急]	의식 혼미 → 갑자기 깨어남
음식섭취	식욕 정상		먹지 못 함	갑자기 식욕 증진

② 면색面色의 망진

▶ **면부 색진의 원리와 임상적 의의** 오장은 오색과 상응(肝-靑, 心-赤, 脾-黃, 肺-白, 腎-黑). 또한 다기다혈多氣多血한 족양명위경足陽明胃經이 얼굴에 분포하여, 얼굴에는 혈관이 풍부하고 피부가 얇고 연하여 색택色澤의 변화가 쉽게 드러나므로 체내 장부臟腑와 기혈氣血의 성쇠가 면부面部의 색택色澤으로 반영됨. 따라서 얼굴의 색택色澤을 보아 장부기혈臟腑氣血의 성쇠와 사기邪氣의 소재를 알 수 있음.

▶ **망색 방법**

색을 통한 진단의 방법 ① 주의를 집중하고 미세한 변화에 주목[積神于心] ② 부위별 배속 관계를 활용 ③ 질병과 오색의 연관 관계[五色主病]를 활용.

왕굉汪宏의 망색10법(『망진준경望診遵經(1875)』)

① 부浮 : 색이 피부 위에 나타나는 것 → 표증表證.

② 침沈 : 색이 피부 안으로 잠복 → 이증裏證.

③ 청淸 : 맑고 깨끗한 것, 색이 활짝 펴지는 것 → 병이 양陽의 부위에 있음.

④ 탁濁 : 흐리고 어두운 것, 어두침침한 것 → 병이 음陰의 부위에 있음.

⑤ 미微 : 색이 연하고 엷은 것 → 사기邪氣가 약해짐.

⑥ 심甚 : 색이 짙고 진한 것 → 사기가 실實(盛)함.

⑦ 산散 : 색이 흩어지는 것 → 병의 발생이 오래되지 않은 것 / 사기가 흩어져 있는 것. 범위가 넓은 것.

⑧ 단摶 : 옹체된다는 뜻. 색이 폐색된 것 → 병이 오래됐다는 것 / 사기가 모여 있는 것.

⑨ 택澤 : 기색氣色이 윤택潤澤 → 주로 소생하게 됨[病輕易治].

⑩ 옥夭 : 기색이 초췌 → 주로 사망함[病重難治].

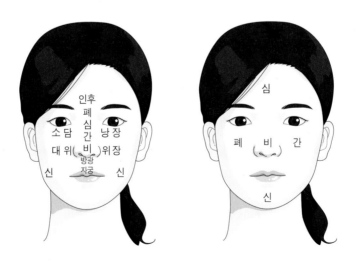

그림 1-2. 얼굴의 각 부위에 대한 『황제내경 · 영추 · 오색』의 장부 배속(왼쪽)과 『황제내경 · 소문 · 자열론』의 장부 배속(오른쪽)

▶ 얼굴과 장부의 부위별 상관

오색편의 배속 『황제내경 · 영추 · 오색五色』에서는 오장을 주로 정중선에, 육부를 그 외측에 배속.

자열론의 배속 『황제내경 · 소문 · 자열론刺熱論』에서는 오행과 5방위의 연관 관계에 따라 오장을 배속(이마를 남쪽으로 하고 엎드렸을 때의 방위를 기준으로).

▶ 상색과 병색

상색常色 정상적 면색. 인체의 생리 상태가 정상, 즉 정신精神 · 기혈氣血 · 진액津液이 충만하고 장부의 기능이 정상일 때 얼굴이나 피부에 나타나는 색택色澤. 상색에는 밝고 윤택하고[☞ 神氣] 은은한 홍황색이 함축되어 있는[☞ 胃氣] 모습이 나타나야 함

① 주색主色: 선천적인 색으로 개인차는 있으나 평생 불변.

② 객색客色: 계절 · 기후 등의 변화에 의해 수시로 변화하는 색.

병색病色: 병적인 면색. 색감의 뚜렷한 변화와 위치의 변화로 판단. 한 가지 색이 이상적으로 뚜렷이 나타나는 것과 면색에 광택이 없고 거무칙칙하며 초흑焦黑 빛깔이 나는 것. 병색 중에도 좋고 나쁨[善惡]이 다시 나뉨.

① 선색善色: 병색이 보이나, 밝고 광택이 있음. 병이 있되 장부의 정기精氣가 조금만 감소[微衰]하고 위기胃氣가 면부를 상영上榮하는 경우[氣至]로서, 병이 경하고 예후도 비교적 양호.

② 악색惡色: 정상적 얼굴색이 아닌 변화와 색감의 이상이 나타난 것. 병색이 보일 뿐만 아니라 광택이 없고 거무칙칙한 것으로서, 장부의 정기가 이미 쇠약해져서 위기가 면부를 상영上榮하지 못하는 경우[氣不至]. 병이 중하고 예후도 불량.

▶ 병색의 오색주병五色主病

① 청색 - 한증寒證, 통증痛症, 어혈瘀血, 경풍驚風

② 적색 - 열증熱證 / 심한 적색 ☞ 실열實熱, 엷은 적색 ☞ 허열虛熱

③ 황색 - 허증虛證, 습증濕證(한습, 습열)

④ 백색 - 허증虛證, 한증寒證, 탈혈脫血, 탈기脫氣

⑤ 흑색 - 신허腎虛, 한증寒證, 통증, 수음水飮, 어혈瘀血

▶ 청색의 주병主病과 병리

① 한寒: 한기응체寒氣凝滯 → 경맥, 경근, 혈관 등의 수축 → 기체혈어氣滯血瘀 → 경맥 구급수인拘急收引 → 얼굴에 청색, 청

표 1-2. 상색 및 병색의 개념과 그 분류

상색常色	주색主色	오장의 색
	객색客色	사시의 색
병색病色	선색善色	기가 이름[氣至]
	악색惡色	기가 이르지 못함[氣不至]

자색이 나타남.

② 통痛: 한기응체寒氣凝滯 → 경맥어조經脈瘀阻 → 불통즉통不通則痛.

③ 혈어血瘀: 사기 → 혈맥어조血脈瘀阻 → 혈행불창血行不暢 → 면색청자面色靑紫.

④ 풍風: 간의 소설疎泄 실조 → 기혈 순환 이상 → 혈이 근筋을 자양하지 못 함 → 간풍내동肝風內動[1] → 경풍驚風, 휵닉搐搦
    예) 소아의 경풍驚風: 미간, 콧등, 입술 주위에 청색이 나타남.

▶ **적색의 병리와 열증의 허실**
병리 기전 기혈이 열을 얻으면 운행이 가속됨 → 열이 성하면 혈맥이 충만 → 혈색이 상부에 발현 → 면홍적面赤紅.
허열과 실열의 면색
① 양이 성한 외감발열 또는 장부의 실열: 얼굴 전체에 심한 홍색이 나타남.
② 음허화왕陰虛火旺의 허열: 광대뼈[兩顴]에 연한 홍색이 주기적으로 나타남.
※ 대양증戴陽證: 허양虛陽이 부월浮越한 것으로 진한가열眞寒假熱의 위중한 증후임 ☞오래된 중병 환자가 안색이 창백하
    다가 도리어 화장한 것처럼 연한 홍색이 나타남.

▶ **황색의 병리와 주병主病**
병인병리 비위기허脾胃氣虛, 습사곤비濕邪困脾, 간담습열肝膽濕熱의 소치.
비脾의 소화 · 흡수 · 수포輸布 기능 상실 → 수습내정水濕內停 → 기혈휴손氣血虧損: 허증, 습증의 발현. ※ "비는 후천의 근
본이고 기혈이 화생되는 근원이다(脾爲後天之本, 氣血生化之源)"
위황, 황반, 황달의 감별
① 위황萎黃: 안색이 엷은 황색이고 초췌하며 광택이 없는 것.
    원인: 비위의 기허 ☞ 기혈부족의 소치.
② 황반黃胖: 안색이 누렇게 뜬 것으로 부기가 있어 보임.
    원인: 비기허쇠脾氣虛衰 → 습사내조濕邪內阻의 소치
③ 황달黃疸: 얼굴 · 눈 · 전신이 모두 황색인 것.
    양황陽黃: 황색이 선명하여 귤색과 같은 것. 습열濕熱이 훈증하여 발생.
    음황陰黃: 황색이 어두워서 연기에 그을린 것 같은 것. 한습寒濕이 울체되어 발생.

▶ **백색의 병리와 주병主病**
백색 출현의 병리
① 허증: 기허氣虛 → 혈로 면부를 상영上榮하지 못함(耗氣失血) → 면백面白
                양허陽虛 → 맥락이 수축(한寒은 수인收引을 주관하므로) → 기혈의 운행이 지체, 혈행血行이 감소 → 면백面白
② 한증: 양허와 동일
③ 탈혈脫血, 탈기奪氣 등 ☞ 기혈이 왕성하지 못한 징후.
면백面白의 여러 가지 형태와 해석
① 창백蒼白: 양허 혹 이열증裏寒證으로 심한 복통이나 전율이 있을 때.
② 갑자기 창백해지고 냉한임리冷汗淋漓 양기폭탈陽氣暴脫.
③ 광백晄白: 기허.
④ 광백晄白하면서 약간의 부기: 양허.

---

1) 병변 과정 중에 동요動搖, 현훈眩暈, 추휵抽搐 등의 증상이 출현하는 것을 "간풍"이라 하며, 이는 병리변화의 표현에 속하므로, 외감풍사와 구별하기 위해 간풍내
동이라 칭한다. 그 병기는 간이 혈을 주하고, 근을 주관하며, 눈으로 개규開竅되고, 그 경맥이 두정으로 상행하여 뇌로 연락되는 등의 기능이 실조된 것과 유관하
므로 "제풍도현, 개속어간(諸風掉眩, 皆屬於肝)"의 설이 있다. 허증인 경우는, 음액의 휴손에 의한 것으로, "허풍내동虛風內動"이라 하며, 실증인 경우는 양열의 항성에
의한 것으로 "열성동풍熱盛動風" 혹은 "열극생풍熱極生風"이라 한다.

⑤ 담백淡白: 기허氣虛.

⑥ 담백하면서 광택이 나지 않거나 닭의 피부처럼 황백색: 혈허 또는 탈혈奪血, 폐위허한肺胃虛寒.

▶ 흑색의 병리와 주병主病

① 신양허증: 신양허쇠腎陽虛衰 → 음한응체陰寒凝滯 → 혈血이 온양溫養되지 못 함 → 혈행불창血行不暢, 구어불산久瘀不散 → 면흑面黑

② 한증: 한기는 조직의 수축과 순환의 정체를 초래["寒主收引", "寒主凝滯". 한객혈맥寒客血脈 → 한응寒凝 → 기체혈어氣滯血瘀 → 경맥구급수인經脈拘急收引 → 면청面靑·면흑面黑, 심하면 청자·청흑색

③ 기타 통증, 수음증水飮證, 혈어증血瘀證에서 면흑面黑 증상이 나타남.

▶ 한증과 면색

면부의 청·백·흑색이 모두 한증寒證에서 나타날 수 있으나 병리는 다름.

① 청색 출현의 병리: 한사가 응결 → 기체혈어 → 경맥의 구급수인拘急收引 → 면부에 청색이나 청자색이 나타남.

② 백색 출현의 병리: 양허(원양허쇠元陽虛衰, 기혈운행 지체, 기氣의 모손耗損과 실혈, 기혈의 부족 등에 기인) → 허한 발생 → 한기 응결 → 혈삽血澁 → 경맥 수축 → 면부에 백색이 나타남.

③ 흑색 출현의 병리: 신양허 → 수음불화水飮不化 → 음한내성陰寒內盛, 혈이 온양되지 못함 → 경맥 구급拘急, 기혈불창氣血不暢 → 면흑面黑.

▶ 색色·맥脈·증症 상호참조[合參]

색色·맥脈·증症을 합하여 서로 참고하는 것은 질병의 진단과 치료에 중요한 원칙이며, 색·맥·증은 전체적으로 관찰되어야 함.

색·맥·증의 상응 일반적으로 색·맥·증은 상응하여 나타남.

예) 간병肝病 ☞ 면색은 청색, 맥상은 현맥弦脈, 증상은 흉협통胸脇痛·구고口苦·목현目眩

예) 안면이 홍색, 맥이 홍삭洪數 ☞ 실열증. 고열, 구갈口渴 등의 증상.

양권兩顴이 연한 홍색, 맥상이 세삭細數 ☞ 허열증. 조열潮熱, 도한盜汗 등 증상.

색·맥·증의 불응 색·맥·증이 상응하지 않을 때는 구체적으로 그 문제점을 분석하여 병의 근본원인을 찾아내서 치료.

병색의 교착交錯과 질병의 순역順逆·길흉吉凶

① 병증과 색상이 상응하는 경우: 질병이 진전하는 정상적인 현상에 속함 ☞ '정병정색正病正色'. 예) 간병에 청색이 나타남.

② 병증과 색상이 상응하지 않는 경우 ☞ '병색교착病色交錯'.

순증順證 : 색상과 병증이 상생相生하는 경우.

㉠ 색이 병을 생生하면 → 길吉한 가운데 순증. 예) 간병에 흑색(水生木).

㉡ 병이 색을 생生하면 → 길吉한 가운데 역증. 예) 간병에 적색(木生火).

역증逆證 : 색상과 병증이 상극相剋하는 경우.

㉠ 병이 색을 극剋하면 → 흉凶한 가운데 순증. 예) 간병에 황색(木剋土).

㉡ 색이 병을 극剋하면 → 흉凶한 가운데 역증. 예) 간병에 백색(金剋木).

형체와 자세 · 동태의 망진

▶ **형체와 자세 · 동태의 망진 - 개념과 의의**

개념 환자의 형체形體와 자태姿態를 관찰하여 진단하는 방법.

의의 음양오행학설과 장상학설을 근거로 하면 오장은 오행에 분속分屬되고, 외부의 오체五體는 오장에 합치되므로 형체의 강약强弱 · 비수肥瘦와 내장의 견취堅脆 · 성쇠盛衰는 통일된 것이며, 인체의 동정자태動靜姿態는 음양기혈의 소장消長과 관계가 있음. 따라서 형체와 자태를 망진하여 장부기혈의 성쇠와 음양陰陽 사정邪正의 소장消長과 병세의 순역順逆 및 사기의 소재를 알 수 있음.

▶ **형체의 강약强弱과 비수肥瘦**

강강 신체가 강하고 건장한 것을 가리킴. 골격이 굵직하고 흉곽이 넓고 두터우며 힘살[肌肉]이 충실하고 피부가 윤택한 등의 징후를 가짐. 형체가 강하고 건장한 사람은 내장도 견실하고 기혈도 왕성하므로 병에 이환되더라도 예후가 양호.

약약 신체가 쇠약한 것을 가리킴. 골격이 가늘고 흉곽이 협착, 힘살이 마르고 피부가 고조枯燥한 등의 징후를 가짐. 형체가 쇠약한 사람은 내장도 취약하고 기혈도 부족하므로 신체가 약하고 병도 많으며 예후도 비교적 좋지 않음. 참고: 오지五遲, 오연五軟(☞『소아에 대한 문진問診』)

비비 비만. 종래에는 비허脾虛, 담痰, 습濕이 주된 원인이라 생각했으나 최근의 변증 유형은 이와 다름(간울肝鬱, 식적食積, 양허陽虛 순. 비허는 흔히 식적과 겸하여 나타남. 황미자, 문진석 등 2008). 부종과의 감별 진단이 필요.

수수 수척. 기 · 혈 · 진액의 부족이나 음허화왕陰虛火旺인 경우가 많음.

▶ **형태 이상의 진단적 의의**

계흉鷄胸 흉골이 앞으로 돌출, 늑골은 외번外翻, 흉곽의 전후경前後徑이 넓어짐. 선천적 이상 또는 소아의 해천咳喘이 오래되어 담연痰涎이 폐에 옹결壅結된 소치. 심장성 천식, 기관지 천식에서 볼 수 있음. 『유과금침幼科金針』(청)에 보이며 이전의 문헌에는 귀흉龜胸이란 표현을 자주 사용(예:『태평성혜방太平聖惠方』(송))

누두흉漏斗胸 오목 가슴. 대개 선천적인 이상.

통상흉桶狀胸 흉곽의 전후경과 횡경橫徑이 거의 같음(정상은 1:1.5). 어깨가 높아지고 목이 짧아지며 늑골 사이가 넓어지고 쇄골위오목이 평탄. 장기간의 폐기옹체肺氣壅滯 또는 평소에 복음伏飮이나 담적痰積이 있어서 폐기肺氣가 모산耗散되었

비만의 진단 기준

황금표준 비만은 체지방이 정상보다 많은 것을 말하며, 따라서 체지방의 비율을 통해 진단해야 함. 남자 25%, 여자 30% 이상일 경우 비만으로 정의함. 다만 체지방의 양을 측정하는 데는 현재 X선 촬영(이중 에너지 X선 흡수량 측정 = DEXA)이나 수조법(신체 부피 측정)과 같은 번거로운 방법을 이용해야 하므로 체지방율 측정을 통해 비만을 진단하는 일은 많지 않음. 보다 간편한 방법으로 임피던스 측정에 의한 체지방율 추정 방법이 있으나 오차가 큼.

체질량지수 키의 제곱에 대한 체중의 비를 체질량지수體質量指數(body mass index = BMI)라고 함. 쉽게 측정할 수 있으므로 비만의 간접적 판별 지표로 사용함. 아시아인의 경우 체질량지수 25 kg/cm^{2}이상을 비만으로 간주.

허리둘레 복부비만에 대한 참고 지표. 한국인의 경우 남자 90cm(약 35인치) 이상, 여자 85cm(약 33인치) 이상일 경우 복부 비만으로 간주.

거나, 신기腎氣를 상하여 신이 납기納氣하지 못한 경우[→ 신불납기腎不納氣]에 나타남. 담음병痰飮病 환자에게 자주 보임.

편평흉 扁平胸 흉곽이 편평한 것. 몸이 수척하고 목이 가늘며 늑골이 처져 있고 늑골 간격이 감소되며 쇄골이 돌출, 쇄골위오목이 명확함. 폐신음허肺腎陰虛 또는 폐기부족肺氣不足, 오랜 병[久病]으로 인한 정혈손상精血損傷에서 나타남. 몸이 수척하고 신장이 큰 건강인에게서도 볼 수 있음.

타배 駝背 곱사등. 귀배龜背라고도 하였음(『인재소아방론仁齋小兒方論』(1264))

나권퇴羅圈腿 O자 다리. 선천 품부 부족으로 신의 정기가 휴손虧損되었거나, 후천적으로 조양調養을 잘못하여 비위가 허약한 데 기인함.

주상복舟狀腹 복부가 깊이 함몰하여 등에 근접함. 위胃와 장腸의 진액이 마르고 장부의 정기精氣가 심하게 손상된 좋지 않은 증후. 대부분 오랜 병으로 정기精氣가 손상되고 영양이 불충분한 경우. 비위허약으로 인한 위하수·위무력에도 많이 보임.

고창臌脹 복부는 종대되고 사지는 도리어 수척해짐. 간울肝鬱 또는 비허脾虛로 인한 기체氣滯, 혈어血瘀 또는 수기정체水氣停滯.

기부수종肌膚水腫 비폐신脾肺腎의 기화氣化 부전으로 유발되며, 기허氣虛, 양허陽虛, 혈어血瘀에서 보임. 임신 중에도 나타날 수 있음.

▶ **수족의 망진**

피부의 청자青紫: 사지 말단에서 나타나는 경우가 많음. 한사寒邪가 응체凝滯되었거나 어혈이 낙맥에 정체된 것. 또는 기체氣滯에서도 나타남.

수족의 형태·색깔 변동을 초래하는 질병 류머티스 관절염(관절 구축拘縮), 동창凍瘡, 통풍痛風(관절 부종 및 발적), 탈저脫疽(말단의 흑색 변성, 괴사), 심·폐·간 질환에서 나타나는 곤봉지棍棒指 등

▶ **자세의 망진**

누울 때의 자세 臥形
① 누울 때 늘 밖을 향하고, 옷을 곧잘 벗고, 몸이 가벼워 잘 돌아 누울 수 있음 ☞ 양증, 열증, 실증. [邪熱內盛, 正氣微衰]
② 누울 때 안쪽으로 잘 향하고, 옷을 더 입으려 하고, 몸이 무거워 돌아 누울 수 없음 ☞ 음증, 한증, 허증. [正氣虛衰, 陰寒內盛]
③ 이불을 포개어 덮거나, 여름에도 두터운 양말을 신음 ☞ 한증
④ 이불을 차거나, 겨울에도 맨발로 지내길 좋아함 ☞ 열증

레이노병 Raynaud's disease

정의 레이노병이란 프랑스 의사 M. 레이노가 보고한 것으로 혈관운동신경 장애를 주증主症으로 하는 질환을 말한다.
증상 손, 발의 동맥에 발작성 경련으로 인해 혈관수축이 일어나면서 일시적으로 그 부위가 창백해지고 청색증과 함께 피부온도에 변화가 온다. 20-50대의 여자에게 호발하며 전신성 홍반성 낭창, 류머티스 관절염 등의 자가면역질환과 동반되는 경향이 있다.
원인 원인은 정확하지 않으나, 외상이나 폐색성 동맥질환, 기타 신경성 손상과 관련이 있다.
치료 현대의학에서는 혈관확장제의 투여로 치료하며 심리적인 지지와 체중 감소, 금연, 손과 발의 세심한 관리, 스트레스 감소 등이 필요하다. 빈번한 입원과 치료가 필요하다.

근육 운동 이상에 대한 표현

구급拘急 구련拘攣, 근련筋攣, 연급攣急, 급련急攣, 강직强直, 경痙 등으로 표현. 근육이 불수의적 수축된 상태. 각궁반장角弓反張, 항배강직項背强直도 이에 해당.

추휵搐搦 계종瘛瘲, 휵닉搐搦, 순계瞤瘛 등으로 표현. 근육의 불수의적 수축·이완이 반복되는 상태. 진전振顫도 넓게는 이에 해당. 연동蠕動도 수축·이완이 반복되는 상태지만 추휵이 관절의 움직임을 수반하는 것인 반면 연동은 하나의 근육 또는 일부 근섬유만이 움직여서 관절의 움직임이 나타나지 않는 것.

앉을 때의 자세 坐形

① 앉아서 고개 숙이고 잘 엎드림 ☞ 폐허肺虛. 기소氣少.

② 앉아서 고개를 치켜들고 몸을 곧잘 펴고 있음 ☞ 폐실肺實. 기역氣逆.

③ 앉아 있기만 하고 누울 수 없으며 누우면 숨이 차오르는 증상 ☞ 폐창肺脹 또는 수음水飮이 흉복에 정체된 병증. 해수, 천식 동반.

▶ **이상 동작의 망진**

경痙 사지가 경련으로 흔들리거나[抽搐] 경직된 것[拘攣]. 좁게는 항배강직項背强直과 각궁반장角弓反張을 지칭 ☞ ① 열극생풍熱極生風으로 간풍내동肝風內動한 경우. 소아경풍小兒驚風, 간질, 파상풍破傷風, 기타 온열병(열사熱邪가 영혈營血에 들어갔을 때)에 나타남(경궐痙厥. 뇌수막염 등) ② 기혈氣血이 허하여 근맥실양筋脈失養한 경우에도 나타남. 만비풍慢脾風의 경우.

연동蠕動 실룩거림. 관절의 움직임은 없음. 안검 연동, 구순 연동, 수족 연동 등. ☞ 혈허血虛로 근맥실양筋脈失養한 경우. 대개 허풍[虛風內動]에 속함.

진전振顫 작은 떨림. 진전震顫, 진전振戰이라고도 함.

위痿 사지에 힘이 없고 힘살이 위축되어 움직임이 느림 ☞ ① 실증: 열병으로 폐가 초췌해져서 진액을 산포하지 못하는 경우. 또는 양명습열陽明濕熱. ② 허증: 위기胃氣가 허약하여 음혈陰血이 휴허虧虛해진 경우. 비위기허脾胃氣虛, 간신부족肝腎不足(=간신음허). 주진형朱震亨(1281~1358)은 폐기부족肺氣不足을 원인으로 제시.

비痺 관절이 아프고 저리며 굽히고 펴는 것이 원활하지 못함 ☞ 풍한습사風寒濕邪에 외감外感되어 경락의 소통이 막힌 경우. 행비行痺, 통비痛痺, 착비着痺로 나눔. 넓게는 이상 감각 전체를 지칭.

반신불수半身不遂(=편탄偏癱, 탄탄癱瘓, 편고偏枯) 좌우 어느 한 쪽 반신의 운동 부전. 중풍中風의 대표적 증상.

수무족도手舞足蹈 손발의 동작이 증가되고 변화가 다양하여 스스로 자제하지 못하는 것 ☞ 간신부족肝腎不足, 기혈양허氣血兩虛, 열성熱盛, 외감풍사外感風邪 등으로 유발

오한전율惡寒戰慄(=한전寒戰) 춥고 떨림. ① 학질에서 나타남. 학사瘧邪가 반표반리半表半裏에 잠복해 있다가 이裏로 들어가 음陰과 상쟁相爭하면 오한전율하고, 표表로 나와 양陽과 상쟁相爭하면 장열壯熱이 나타남. ② 상한傷寒에 있어서의 전율은 전한戰汗이 나타나기 전의 전조증상. ③ 히스테리 발작[臟躁]에서도 나타남.

두경부와 모발 및 관규官竅의 망진

▶ **국소 망진의 의의** 국소적인 형상의 진단은 신체의 한 방면의 이상을 나타내기도 하고, 또한 다방면의 병태를 반영함.

▶ **두면부 형태의 망진**

두형과대頭形過大 뇌수종에서 흔함(뇌척수액 환류 장애. 아래의 '해로'에 해당). 대천문 확장, 안구 하수 동반.

두형과소頭形過小 발육불량이나 두개골 기형(아래의 '첨로'에 해당)에서 나타남.

해로解顱 두개골 봉합부가 개방되어 있는 것. 선천성 뇌수종에 해당. 눈이 상대적으로 작고 눈동자가 아래로 향하며 지능이 저하됨 ☞ 신정부족腎精不足.

첨로尖顱 두개골이 협소하고 두정부가 뾰족하게 돌기되어 있는 것. 천문泉門 폐쇄가 일찍 나타나고 지능 저하 동반 ☞ 선천적인 신정부족腎精不足 또는 난산으로 인한 두개골 손상에 기인.

방로方顱(=방두方頭) 이마가 앞으로 튀어나오고 측두부가 돌출, 두정부는 편평한 경우. 두개골이 단단하지 않고 만져보아 탄력감이 있는데 한 쪽으로 오래 누워 지낸 경우에는 편두기형偏頭畸形에 이를 수 있음 ☞ 선천적인 신정부족腎精不足 또는 후천적인 비위실조脾胃失調에 기인.

신전囟塡 천문이 융기되어 있는 것 ☞ 대개 실열증(온병의 화사상공火邪上攻). 아이가 울 때 천문이 일시적으로 융기하는 것은 정상.

신함囟陷 천문이 함몰되어 있는 것 ☞ 대개 허한증. 구토와 설사로 인한 진액모상津液耗傷 또는 소화흡수불량에 의한 기혈부족氣血不足에 기인. 단 생후 6개월 이내에 신문이 약간 함몰된 것은 정상.

※ 통상 생후 2~4개월에 소천문(후천문) 폐쇄, 1~1.5세에 대천문 폐쇄.

오형인五形人의 두면부 특성 ① 목형인木形人 ☞ 머리가 작고 얼굴이 길쭉함 ② 화형인火形人 ☞ 머리가 뾰족하고 안색이 붉음 ③ 토형인土形人 ☞ 머리가 크고 얼굴이 둥근 편 ④ 금형인金形人 ☞ 얼굴이 각지고 안색이 흰 편 ⑤ 수형인水形人 ☞ 머리가 크고 안면의 요철이 큼. 안색은 검은 편. (『황제내경·영추·음양이십오인陰陽二十五人』)

▶ **두면부 자세 및 동태의 망진**

두경頭傾 힘이 없어 머리를 잘 들지 못하여 머리가 기울어져 있음 ☞ 중기허쇠中氣虛衰(→ 面黃體弱, 氣短神疲), 수해부족髓海不足(→ 耳鳴耳聾, 腰膝酸軟) 또는 경부 손상에 기인.

두면부 형태와 성격 · 질병 이환 경향

성격과의 관계 ① 둥근 머리에 둥근 얼굴[圓頂圓面型] ☞ 정직하고 무던하며 근면성실 ② 둥근 머리에 타원형 얼굴[圓頂楕圓型] ☞ 활발하고 영민하며 언변이 좋음 ③ 둥근 머리에 네모난 얼굴[圓頂方面型] ☞ 점잖고 침착하며 감정 표현을 자제하는 편이나 흔히 가슴속에 포부를 가지고 있음 ④ 둥근 머리에 세모난 얼굴[圓頂尖面型] ☞ 음모를 잘 꾀하고 꿍꿍이속이 있음.

질병과의 관계 ① 뒤집은 사다리꼴(위는 크고 아래는 작음) ☞ 쉽게 신음腎陰이 휴손虧損되며 불면, 우울증과 같은 심신불녕心神不寧한 질환에 잘 걸림 ② 사다리꼴(위가 작고 아래는 큼) ☞ 설사泄瀉나 납매納呆 등과 같은 비위허약脾胃虛弱의 증상이 잘 나타남 ③ 마름모꼴(위아래는 작고 중간이 큼) ☞ 기침[咳嗽], 인후동통[咽痛] 등의 폐음부족肺陰不足 증상이 잘 나타남 ④ 직사각형(위아래가 비슷함) ☞ 위증痿證과 같은 비기허약脾氣虛弱 증상이 잘 나타남.

두면부 형태에 의한 체질 구분

유래 프랑스의 내과의사 시고(Claude Sigaud, 1862~1921)가 인간의 체형을 넷으로 구분. 이후 일본에서 이와 관련하여 한의학 이론에 입각한 연구 보고가 있었음.

뇌형 두개골이 크고 이마는 넓으며 턱은 뾰족하다. 머리와 얼굴의 윗부분은 넓고 아래로 내려오면서 좁아 사다리를 거꾸로 세워 놓은 형상이다. 이런 사람은 지능이 비교적 발달하였다. 그래서 뇌형의 사람은 흔히 자신의 지능만 믿고 머리를 많이 쓰는 탓에 신경쇠약, 불면증, 두통 등 신경정신성 질환에 걸리기 쉽다.

소화형 머리 및 얼굴의 윗부분은 좁고 아래로 내려오면서 점점 넓어져 사다리 모양을 하고 있다. 중풍형中風形이라고도 한다. 얼굴 아랫부분의 근육이 유연하면서도 팽창되어 있으며 입이 크고 입술은 두텁다. 이런 형태의 사람은 소화력이 비교적 강하여 과식하는 경향이 있으며 이로 인하여 복창腹脹, 설사 등 소화기계통의 질병 및 담낭질환에 걸리기 쉽다.

호흡형 머리 및 얼굴의 윗부분과 아랫부분은 좁고 가운데가 넓으면서 광대뼈가 나오고 턱은 둔각으로 되어 있고 양쪽 눈의 동공거리가 멀다. 이런 형태의 사람은 호흡능력이 비교적 강하고 신체는 건장하지만 항상 적열積熱이 있어 인후염, 기관지염 등 인후 및 폐질환에 걸리기 쉽다.

근육형 머리와 얼굴의 모양이 장방형으로 상하의 넓이가 같고 얼굴의 각 부분이 균형을 이루고 있다. 이런 형태의 사람은 운동력이 비교적 강하다. 근육형의 사람은 자신의 체력을 과신하여 과로하기 때문에 관절통 및 근육통을 유발하기 쉽고 관절염 등 각종 운동기 질환으로 고생하는 일이 많다.

두앙頭仰 머리를 치켜들고 있으며 눈동자가 위를 향함 ☞ 파상풍과 소아의 급경풍急驚風에 나타남.

머리의 편향 머리가 한쪽으로 치우치고 겨우 움직일 수 있음. 영류癭瘤나 경항부의 옹저에 수반되어 나타남.

두요頭搖(=搖頭風, 獨頭動搖) 머리가 흔들리는 것을 자제할 수 없거나 그 흔들림을 자각할 수 없음 ☞ 내풍內風(간양화풍, 혈허생풍, 음허풍동 등) 혹은 기혈허쇠氣血虛衰.

▶ 두발의 색깔과 윤기[=색택色澤] (황인종 기준)

흑黑 신기충영腎氣充盈.

백白 또는 반백半白(頒白) 동반 증상이 없으면 정상적인 노쇠 현상 또는 선천적 차이. 동반 증상이 있을 경우에는 신허腎虛인 경우가 많음. 기타 심혈모손心血耗損, 간울화열肝鬱化熱의 증증에서 보일 수 있으며, 백전풍白癜風(=백반증), 반박병斑駁病(=부분백피증), 반독斑禿과 유전적 질환에서 나타날 수 있음.

황黃 ① 건조하고 형태가 시초柴草 같음 ☞ 신기부족腎氣不足, 정혈휴손精血虧損 또는 구병실양久病失養 ② 건조하고 모발이 곧음 ☞ 기음양상氣陰兩傷[氣竭液涸]

회황灰黃 또는 회백灰白 턱에서 회색이 보이는데 수일 후에 많아지면 회발병灰髮病이라고 칭함 ☞ 선천부족先天不足 또는 후천실양後天失養으로 정혈精血이 상부를 영양하지 못하여 발생.

홍紅 또는 홍갈紅褐 일부 황인종에게서 정상적 두발 색깔. 평소 머리가 검던 사람에게서 보이면 비소중독 또는 납중독일 가능성이 있음.

▶ 두발의 외형

탈모 두발의 일부 또는 전부가 빠짐 ① 내상(오랜 병, 산후 등) ☞ 신기휴손腎氣虧損, 혈허血虛 ② 외감 ☞ 혈조血燥(화열에 의해)

반독斑禿(=원형탈모증) 탈모의 하나. 두발의 일부가 원형 혹은 불규칙한 편상片狀으로 탈락 ☞ 혈허血虛 또는 혈어血瘀.

발지發遲 (소아에게) 나이가 들어도 두발이 자라지 않고 두발이 성글며 위황萎黃. ☞ 선천부족先天不足[稟賦素弱]. 소아오지小兒五遲의 하나.

수상발穗狀髮 소아의 모발이 이삭과 같이 뭉쳐있고, 말라서 황색을 띰 ☞ 감적疳積(脘腹膨脹하고, 面黃, 肌瘦, 大便唐薄 동반)의 증상.

고위발枯萎髮 두발頭髮이 건조하여 쉽게 끊어지고, 끄트머리가 분열되어 그 모습이 잡초나 쑥과 같음 ☞ 선천품부부족先天稟賦不足, 구병실양久病失養, 음허혈조陰虛血燥에 의한 진액모손津液耗損.

속상발束狀髮 두발이 오그라들어 뭉침. 모발의 굵기가 얇아 솜털과 비슷하고 모근 부위가 은백색이거나 황색의 껍질이 있음 ☞ 은설병銀屑病(=비듬)과 지루성 습진 및 황선黃癬(=favus)에서 보임.

▶ 경항부의 망진

항강項强 목의 근육이 땅기고 뻣뻣해져 풀어지지 않는 것. 굴곡과 신전이 제한됨. ① 변증 ☞ 표한증表寒證 / 간양상항증肝陽上亢證 / 간풍내동증肝風內動證 ② 변병 ☞ 수면 자세 불량 / 풍한습비風寒濕痺 혹은 노년 경추 비대 / 소아의 급경풍急驚風 / 파상풍破傷風["金瘡痙"]

경연頸軟 목에 힘이 없어 쉽게 기울어지고 고개를 들지 못하는 것.

① 영아의 경우 생후 4개월 이후 목을 가누지 못하면 오연五軟의 하나로서 발육지체로 봄 ☞ i) 선천품부부족先天稟賦稟不足 → 간신휴손肝腎虧損 → 골격 발달 지체 ii) 후천실조後天失調 → 비위허약脾胃虛弱, 기혈부족氣血不足 → 근육 발달, 근력 형성 지체 iii) 난산으로 인한 태아의 뇌손상.

② 중한 병을 오래 앓은 후 나타나는, 목에 힘이 없고 안와부가 움푹 들어가는 증상["천주골도天柱骨倒"] ☞ 정기쇠패精氣衰敗의 징조

③ 연하 기능 저하, 안검하수, 표정근 장애와 함께 육체적으로 힘을 쓴 후에 증상이 가중되는 양상을 보이는 경우 ☞ 중기부족中氣不足으로 인한 청양불승淸陽不升.

사경斜頸 목이 한쪽으로 기울어져 올바르게 움직일 수 없는 것. 환측의 근막은 뻣뻣하며 굳어 있어 힘을 써도 원래 위치로 회복될 수 없으며, 두면부는 건측을 향하여 기울어짐 ☞ ① 출산시 손상 ② 성장기 자세 이상 ③ 성인의 경추부 손상 및 골기형에 기인

경동부지頸動不止 목의 근육이 계속 움직임 ☞ ① 내풍內風[肝陽亢盛 → 肝風上擾] ② 진액모손[津傷陰虧] (근척육순筋惕肉瞤으로 나타남) ② 기혈양허氣血兩虛 (노약자 또는 산후 과다출혈 등)

경맥조동頸脈躁動 경동맥의 박동 항진 ☞ 수종. 특히 누웠을 때 경동맥이 굵게 잡히면 수기능심증水氣凌心證.

영류癭瘤 목의 앞쪽頸(↔項)에 생긴 덩어리. 갑상선종에 해당. 대개 환자 거주 지역의 토양·식수 환경[水土]과 유관. 또는 간기울결肝氣鬱結로 담痰이 응결된 것.

나력瘰癧 목의 옆에 콩 모양의 덩어리가 여러 개 발생하여 구슬을 꿰어놓은 것 같은 모습을 보이는 것. 경부 임파선 결핵에 해당. 폐신음허肺腎陰虛+담痰 또는 풍화시독風火時毒.

▶ 눈의 망진

색깔의 망진 ① 눈의 발적 종창목적종통目赤腫痛] ☞ 대개 실열증. 흰자위의 홍색은 폐화肺火, 눈구석의 홍색은 심화心火, 눈 전체의 발적 종창은 간경풍열肝經風熱 ② 흰자위의 황색[白睛發黃] ☞ 황달黃疸의 상견증상. 대개 습열濕熱 ③ 눈구석의 백색[目眥淡白] ☞ 혈허血虛.

※ 결막부 지방침착(고령자에게 흔함)과 황달의 감별: 지방침착의 경우는 황색의 약간 융기된 덩어리가 검열부에 나타남. 황달의 경우에는 융기부가 없음.

형태의 망진 ① 안포부종眼胞浮腫 ☞ 수종水腫(고전병명으로서)의 한 증상. 단 머리를 낮게 하여 잠을 자고난 후 일시적으로 나타나는 경도의 부종은 병태에 속하지 않음 ② 안와함요眼窩陷凹 ☞ 상진傷津 또는 기혈부족氣血不足. 체중의 2~5%에 해당하는 수분의 상실(경도의 탈수)에서 안와함요가 보이기 시작함.

자세와 동태의 망진 ① 동공축소 ☞ 간화치성肝火熾盛. 중독(천오川烏중독, 초오草烏중독, 독버섯 중독, 유기인有機磷 중독, 농약중독 등)에서도 나타남. ② 동공산대 ☞ 빈사상태瀕死狀態. 신정모갈腎精耗竭의 징후. 간담풍화肝膽風火(녹내장), 중독(만다라화, 대마, 아편 중독 등)에서도 나타날 수 있음 ③ 양목상시兩目上視 ☞ 천적天吊, 대안戴眼이라고도 함. 간풍내동肝風內動(열극생풍의 경우) ④ 사시斜視 ☞ 간풍내동. 신생아에게서 안구 운동 부조화로 나타나는 일시적 사시는 대략 10 주 후 자연 소실 ⑤ 수면중 안정 노출[睡時露睛] ☞ 비기허脾氣虛에 의한 청양불승淸陽不昇. 소아의 만경풍慢驚風에서 보임.

오륜학설五輪學說 눈의 각 부위를 오행에 배속, 장부·조직의 상태를 해석함. 주로 내상에 응용. 『황제내경·영추·대혹론大惑論』에 초기 형태가 나타났으며 송대의 『비전안과용목론秘典眼科龍目論』에서 오륜의 명칭이 확정됨.
예: ① 눈구석(심장)에서 흰자위(폐)로 충혈된 혈관이 나타남: 심화心火가 폐에 침범한 것 ② 검은 자위(간)가 돌출되어 통증이 있고 눈꺼풀(비장)에 붉게 부어 있음: 간기가 비장을 침범한 것 (『안과천미眼科闡微』에서)

팔곽학설八廓學說 눈의 각 부위를 팔괘에 배속하여 장부의 상태를 해석함. 주로 외감에 응용. 모세혈관의 상태를 주로 봄. 『보광도인안과용목집葆光道人眼科龍木集』에 처음으로 나타났으나 이후 문헌에 따라 부위별 배속에 차이를 보임.

▶ **귀의 망진**

색깔 ① 백색: 한증寒證 ② 청흑색: 동통 ③ 흑색이면서 윤기가 없음: 신정휴손腎精虧損 ④ 적색 ㉠ 발갛게 부음: 소양상화少陽相火 및 간담의 습열濕熱이나 화독火毒의 상승 ㉡ 귀 뒤에 모세혈관 충혈이 보이고 이근부耳根部(귓볼과 두면의 연접 부위)가 싸늘함: 마진痲疹의 전조증

외형적 특징 ① 귀가 두텁고 큼: 체격이 건실 / 귀가 얇고 작음: 체격이 취약 ② 귀의 종대腫大: 사기실邪氣實 / 귀의 위축:

표 1-3. 오륜학설

부위	윤輪	연계 조직	연계 장부	오행
검은자위黑睛	풍륜風輪	근筋	간	목木
눈구석兩眥	혈륜血輪	혈血	심장	화火
눈꺼풀眼胞	육륜肉輪	육肉	비장	토土
흰자위白睛	기륜氣輪	기氣	폐	금金
눈동자瞳仁	수륜水輪	골骨	신장	수水

표 1-4. 팔곽학설

부위	곽廓	이명	연계 장부	팔괘
흰자위	천곽天廓	전도곽傳導廓	대장	건乾 ☰
외측눈구석(하)	택곽澤廓	청정곽淸淨廓	삼초	태兌 ☱
내측눈구석(상)	화곽火廓	포양곽抱陽廓	소장	이離 ☲
내측눈구석(하)	뇌곽雷廓	관천곽關泉廓	명문	진震 ☳
검은자위	풍곽風廓	양화곽養化廓	담낭	손巽 ☴
눈동자	수곽水廓	진액곽津液廓	방광	감坎 ☵
외측눈구석(상)	산곽山廓	회음곽會陰廓	심포	간艮 ☶
눈꺼풀	지곽地廓	수곡곽水穀廓	위	곤坤 ☷

정기허正氣虛 ③ 귓바퀴耳輪에 갑착부甲錯部가 보임: 어혈이 오래된 것이거나 장옹腸癰.

정이聤耳(耳瘡) 귀에서 고름이 나옴 ☞ 각종 외감병 또는 간담습열肝膽濕熱.

이치耳痔 외이도 내부의 작은 종괴

이심耳蕈 이치가 대추씨 모양인 것

이정耳挺 이치가 앵두나 오디 모양인 것

▶ **코의 색깔과 윤기 色澤**

적색 ① 코 끝이 약간 붉음: 비의 허열 ② 코 끝의 붉은 색이 선명: 비와 폐의 실열 ③ 콧구멍 안쪽 변연부가 적색이고 비중격 궤양이 보임: 매독 ④ 콧구멍 변연부의 바깥쪽이 적색: 장관腸管 질환, 장관의 기생충 ⑤ 여성의 콧날鼻翼 부위 발적: 월경부조, 경폐經閉.

황색 습열.

백색 빈혈(→ 흔히 기혈양허). 코끝이 희고 흰색의 좁쌀 모양 돌기가 있을 때는 월경주기 연장, 묽은 생리혈이 보일 수 있음.

청색 ① 동통(안면의 청색과 진단적 의의가 동일). 종종 복부의 극심한 동통. ② 코끝이 푸르고 좁쌀 모양 돌기: 간담의 화열, 하초습열. 현대의학적으로는 내분비부조에서도 보임. 여성의 경우에는 검붉고 양이 많은 생리혈과 함께 하복부 통증이 나타남 ③ 청황색: 임증淋證.

남색 코끝이 자람색紫藍色: 심장병의 징후.

흑색 ① 위胃의 질병에서 많이 보임 ② 남자에게 비익鼻翼에 흑색이 나타나서 아래로 인중까지 이어는 경우는 복통腹痛 및 음경과 고환이 빠지듯 아픈 증상[陰莖睪丸抽痛]이 있을 수 있음 ③ 여자에게 비익에 흑색이 출현할 경우에는 월경부조 또는 통경痛經 ④ 연기로 그을린 듯한 흑색: 질병이 위중함을 표시.

코끝이 마름 鼻頭枯槁 비위허손脾胃虛損. 중병.

콧구멍이 건조하거나 흑색 ① 양명열성陽明熱盛 ② 양독陽毒(상한의 반진)

▶ **코의 움직임과 분비물**

비익선동鼻翼煽動 호흡이 원활하지 못해 콧날을 벌렁거림. 폐열肺熱 또는 천喘.

비릿한 진한 콧물[鼻流膿涕腥臭] 비연鼻淵. 외감풍열外感風熱이나 담경온열膽經蘊熱. 중증의 경우 "뇌루腦漏"라고 하며 두통·코막힘·기억력감퇴 등의 증상이 나타남. 부비동염(축농증)에 해당.

▶ **입과 입술의 망진**

입술의 색깔 ① 홍윤紅潤: 정상 ② 담淡: 기혈부족. 실혈失血 ③ 심홍深紅: 열 ④ 황黃: 습/비허脾虛 ⑤ 청靑: 한 ⑥ 자紫: 어혈 또는 위胃의 허한虛寒 ⑦ 오색이 섞여서 나타남[五色雜現]:내분비 질환

입의 자세와 동태

① 구장口張: 입을 벌리고 다물지 못하는 것. 폐기 또는 비기 단절의 징후

② 구금口噤: 입을 다물고 벌리기 어려운 것. 경痙·경풍驚風 / 중풍中風(中臟證)

③ 구촬口撮: 아래 위의 입술을 모은 듯한 자세. 입이 오므라들어 젖을 빨지 못함. 소아의 제풍臍風(신생아파상풍)

④ 구벽口僻: 구각口角이 좌측 또는 우측으로 비뚤어진 것. 구각왜사口角歪斜라고도 함. 풍사가 간경을 침범한 것

⑤ 구진口振: 입술의 상하가 떨리거나, 몹시 추워서 턱을 마주치며 떠는 것. 양기부진陽氣不振 / 학질

⑥ 구동口動: 입을 벌렸다 다무는 것을 자제할 수 없는 것. 위기胃氣 단절의 징후

⑦ 긴순緊脣: 입이 작게 개방되어 벌리고 닫는 것이 힘들고 음식을 받아들이는 데 한계가 있는 것. 풍담조락風痰阻絡

⑧ 구각철동口角掣動: 입구석口角의 근육의 비자발적 수축·이완. 간풍내동肝風內動 또는 비허생풍脾虛生風(예컨대 소아의 만경풍慢驚風).

⑨ 구각유연口角流涎: 침을 잘 흘림. 비허습성脾虛濕盛. 소아에서 많이 나타남.

입과 입술의 외형 변화

① 구순건열口脣乾裂: 입술이 건조하여 갈라짐. 진액손상津液損傷

② 구순미란口脣糜爛: 입술에 헌 데가 나타남. 비위적열脾胃積熱 또는 외감열사外感熱邪

③ 순종脣腫: 입술이 부음. 실증·열증(홍종紅腫의 경우) / 허증·한증(백종白腫의 경우)

④ 순위脣萎: 입술의 위축. 기혈양허氣血兩虛 / 비허습곤脾虛濕困 / 어혈

⑤ 순반脣反: 윗입술이 위쪽으로 뒤집어져 인중을 덮는 것. 비기쇠절[脾敗]

⑥ 순상생창脣上生瘡: 입술의 화농성 염증. 비위脾胃의 온열蘊熱 등

⑦ 순상생정脣上生疔: 입술의 위아래나 입꼬리 옆에 좁쌀 만한 정疔이 생긴 것. 아프고 가려운 것이 일정하지 않음. 화독火毒의 징후

⑧ 견순繭脣: 입술 위에 처음에는 콩만하다가 점차 누에고치만큼 커지는, 단단하게 잡히는 동통성의 덩어리가 생기는 것. 비위적열脾胃積熱. 오래되면 허열증인 경우가 많음.

⑨ 구창口瘡: 입술과 입안에 하얀 소포小包가 생기고 터진 후에는 백색 혹은 담황색淡黃色을 띠며 콩알 크기로 작은 궤양 부위가 생기고 주위가 부어 작통灼痛과 함께 간간이 미열이 있는 것. 선홍색 미란부가 입에 가득한 것은 심비적열心脾積熱. 염증 부위가 비교적 연하고 백색의 미세한 병소가 가득한 것은 양허증. 음허증인 경우도 있음. 소아의 감질疳疾에 수반하여 나타난 경우에는 구감口疳이라 칭함.

▶ 이와 잇몸의 망진

이의 색택色澤 ① 이가 누렇고 건조함: 열성상진熱盛傷津 ② 광택이 나고 건조하여 매끈한 차돌과 같음: 양명열성陽明熱盛 ③ 건조하여 마치 마른 뼈와 같음: 신음휴허腎陰虧虛

잇몸의 위축 ① 색깔이 붉은 경우: 위음부족胃陰不足 ② 붉지 않으나 이가 흔들리고 이뿌리가 드러남: 신음허腎陰虛

잇몸의 색과 출혈 ① 담백淡白: 혈허 ② 홍종紅腫·출혈: 위화상염胃火上炎 ③ 담백하고 붓지 않으면서 출혈: 비불통혈脾不統血

기질적 특성 앞니가 장대견실長大堅實하면 성격이 굳셈 / 앞니가 세소취약細小脆弱하면 성품이 유약 / 앞니가 호랑이와 같으면 성격이 용맹하거나 흉포 / 앞니가 매부리코와 같으면 성격이 교활 / 앞니가 넓으면 성실 / 앞니가 가늘고 뾰족하면 예민한 성격.

▶ 인후부의 망진

색깔 ① 홍적: 열증 ② 암홍: 기체혈어 ③ 백: 허한 또는 기음양허

종통腫痛 허·실의 화열.

인후부 화농 대개 실열증.

인후부 위막僞膜 ① 문지르면 쉽게 없어지는 것: 위열상범胃熱上犯. 경증 ② 단단하고 질기며 쉽게 벗겨지지 않음: 백후白喉(디프테리아). 중증. 역독疫毒으로 폐위열독肺胃熱毒이 상음傷陰한 것.

유아乳蛾 유소아의 편도선염. 목구멍 양쪽이 붉게 부어오르거나, 궤파되어 미란부가 보이고 농점膿點이 나타남. 단, 농점이 생기기는 하되 문지르면 제거된다는 점에서 백후와 감별이 됨. 역시 폐위열독肺胃熱毒.

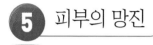

5 피부의 망진

▶ **관찰 대상** ① 전체적인 피부색과 외형 변화 ② 피부병의 증상: 반癍, 진疹, 두창痘瘡, 백배白㾦와 기타 옹癰, 저疽, 절癤, 정疔의 구별.

▶ **피부의 색깔**

황黃 황색이 나타나는 전형적인 질병은 황달黃疸. 얼굴, 눈, 피부, 손발톱이 모두 황색. 양황과 음황으로 구분 ① 양황 - 귤껍질과 같은 선명한 황색. 맥과 증상이 모두 양증陽證의 형태 ② 음황 - 황토색과 같은 어두운 황색. 맥과 증상이 모두 음증陰證의 형태

위황萎黃 얼굴이 누렇고 얼굴의 피부가 건조함. 눈의 흰자위는 황색으로 변하지 않고, 눈꺼풀 안쪽이 백색이며 입술과 혀도 흰 편[淡白]. 기생충이 있거나[黃胖病(=桑黃病 ☞ 십이지장충 기생)], 소모성 질환을 앓고 있을 때 나타남.

창백무화蒼白無華 핏기가 없고 푸르스름함. 갑작스런 대량의 출혈.

홍紅 고열.

담백무화淡白無華 핏기가 없음. 기혈부족氣血不足.

▶ **피부의 외형적 이상**

수종水腫 전신의 피부나 혹 눈꺼풀이나 종아리의 종창이 있으며 눌렀을 때 오목한 흔적이 있음. 수종이 있는데 결분缺盆이 평평하거나, 발바닥이 평평하거나, 복부에 정맥이 갑자기 노출되거나, 등이 평평하거나, 입술이 검은 증상이 보이면 위급한 징후.

지주치蜘蛛痣 고창臌脹(복부가 북처럼 팽창하여 높이 솟은 것. 두면과 사지에는 부종이 없음)에서 종종 나타나는 복부 피부의 게무늬[蟹紋]. 홍루적흔紅縷赤痕이라고도 함.

피부건고皮膚乾枯 피부가 건조하여 말라붙어 있는 경우. 진액모상津液耗傷.

소아골수기리小兒骨瘦肌羸 소아가 피부가 뼈에 붙을 정도로 심하게 마르고 피부가 탄력이 없으면서 건조한 것. 감적疳積인 경우가 많음.

피부갑착皮膚甲錯 피부가 거칠고 비늘처럼 됨. 혈어血瘀인 경우가 많음.

▶ **반과 진**

반癍 피부의 아래에서 평탄하게 존재하여 만졌을 때 손에 걸리는 느낌이 없음. 색깔의 이상만 보임. 양명陽明(위)의 열독熱毒.

진疹 피부 위로 약간 돌출되어 만졌을 때 손에 걸리는 느낌이 있음. 작은 좁쌀같은 모습. 태음太陰(폐)의 풍열風熱.

색깔에 따른 변증 ① 반, 진 모두 붉은 색인 경우가 보통임 ② 엷은 색깔(담홍색이나 담자색)이면 기혈양허氣血兩虛 ③ 진의 경우 심홍색深紅色으로 마치 닭벼슬 같다면 열독치성熱毒熾盛 ④ 자암색紫暗色인 경우는 열독이 음분陰分을 침범한 것 ⑤ 흑색으로 어두운 빛이 돌고 말라 있으면 사후死候.

반진의 순증과 역증 ① 순증順證: 색이 홍활윤택紅滑潤澤. 분포가 고르고 밀도가 낮음. 피부 겉으로 드러나 있음. 병이 비교적 가벼운 경우에 해당 ② 역증逆證: 색이 자홍색紫紅色. 분포가 고르지 않고 조밀. 뿌리가 깊어서 눌러 보았을 때 그 색이 변하지 않음. 병이 비교적 깊은 경우에 해당.

※ 일반적으로 반癍이 진疹보다 증상이 심하고 사기邪氣가 비교적 깊숙이 침범했다고 봄.

양반陽癍과 음반陰癍 ① 양반陽癍: 위에 언급한 양명의 열독에 의한 양증陽證의 반癍. ② 음반陰癍: 음증陰證(허증, 한증)의 반. 혈소판감소성자반병과 재생불량성빈혈 등의 난치질환에서 나타나는 자반을 지칭하는 경우도 있음.

▶ 마진, 풍진, 은진

마진麻疹 홍역(measles). 먼저 발열發熱, 기침[咳嗽], 콧물[流涕], 재채기[噴嚏]와 함께 눈에서 눈물이 나오고 귀가 찬[耳冷] 증상이 있음. 뺨 안쪽의 구내 점막에서 고리 모양의 발적부에 둘러싸인 회백색의 작은 점이 보임. 2~3일 후에 귀 뒤에서 점 모양의 반진이 나타나며 이어서 머리(발제髮際), 얼굴에 발진이 보이고 체간부와 사지 순서로 파급됨. 진疹의 형태는 삼씨[麻粒]같고 붉은 색. 이윽고 진疹이 확장되어 손바닥과 발바닥에까지 이르고(발진 시작 후 2~5일) 터진 후 점차 융합하여 껍질을 이루고 떨어져서 밀기울[糠麩] 모양의 가루가 됨. 이후 색이 점차 희미해지고 차츰 진疹이 없어지게 됨. 발진 순서(부위별 발진 순서)를 거슬러 가며 증상이 사라짐. 질병 진행 도중 반진이 갑자기 숨어서 보이지 않으면서 의식이 혼미하고 천식喘息이 있으면 이는 병사病邪가 안으로 함몰한 것. ※ 마풍麻風(=대마풍大麻風, 여풍癘風)은 나병癩病(한센씨병 Hansen's disease)을 지칭. 명칭이 유사하므로 주의.

풍진風疹 풍진(rubella). 진疹의 크기가 작되 일정하지 않고, 분포가 성글고 색이 담홍淡紅. 발진 부위가 가렵고, 발진 부위에 바람을 맞거나 온열 자극이 있으면 가려움이 심해짐. 발진이 될 때 경도의 발열을 수반. 임상 증상들은 대체적으로 경미하고 마진보다 경과가 짧음. ※ 고서에 등장하는 풍진은 아래의 은진(담마진)을 지칭하는 경우도 있음.

은진隱疹 가려움증과 피부의 돌출(팽륭)을 보이는 일체의 피부 증상. 담마진(두드러기)이 대표적 형태. 가려움증이 비교적 심하고 긁으면 종이 조각과 같은 큰 구진丘疹을 형성하는데, 구름 모양으로 피부 위로 얇게 솟아오름. 간헐적으로 나타나고 사라짐. 색은 담홍淡紅이면서 백색을 겸하고 있음.

▶ 단사丹痧

성홍열猩紅熱(scarlet fever). 청대 고옥봉顧玉峰의 『단사천개丹痧闡介』에 처음 보임. 그 이전의 문헌에 나타나지 않으나 『금궤요략金匱要略』의 양독陽毒이 이에 해당한다고 보는 견해도 있음. 인후부의 염증이 있으므로 난후사爛喉痧, 난후단사爛喉丹痧 라고도 함. 증상은 오한惡寒, 장열壯熱, 흉민胸悶, 구갈口渴이 있고 인후가 붓고 아프며 미란되고 피부에 편상片狀의 붉은색 무늬(丹)가 보이며 그 위에 조밀한 작은 붉은 점(痧)이 나타남. 혀는 진홍색을 띠고 혀 위에 소귀나무 열매[楊梅] 모양의 작고 붉은 돌기들이 보여 양매설楊梅舌(우리말로는 '딸기혀')이라 칭함. 단 발병 초기에는 담백설에 엷은 색의 돌기(이상유두李狀乳頭의 팽륭)가 보임.

▶ 백배白㾦

온병에서 출현하는 피부의 소수포. 좁쌀 크기의 투명한 소수포임. 목과 가슴에 다발. 얼굴에는 나타나지 않음. 온병에서 발한이 잘 되지 않을 때 나타나며 습열濕熱이 있음을 표시. 액체가 가득하고 반짝이는 것은 정배晶㾦라고 하며 순증에 해당. 마른 뼈와 같은 색이고 액체가 투출되지 않는 것은 고배枯㾦라고 하며 역증에 해당. 의식 저하로 이

어질 수 있음. 땀띠汗疹를 포괄하는 개념이라는 견해도 있음. 참고 ☞ 수족구병手足口病

▶ **두진痘疹** 천연두天然痘(smallpox)와 수두水痘(chicken pox = varicella). 천연두는 열성 전염병으로 사망률이 높음. 수두
는 자주 발생하는 병으로 예후가 좋음.

　천연두 『제병원후론諸病原候論』에 두창痘瘡, 『유유집성幼幼集成』에 두창痘瘡으로 나타남. 근래에는 천화天花라는 표현도
사용되었음. 우리말 표현은 "마마". 천연두 자체를 "두痘"라고 할 경우도 있음(예: 『장씨의통張氏醫通』). 경과: 적색 구
진 → 장액漿液이 충만한 팽진 → 딱지痂皮 형성 → 딱지가 떨어지고 나면 반흔(곰보 자국)이 남음. 두진은 전신에 나타
날 수 있으며 두면과 사지에 밀도가 높음. 현재는 소멸된 상태.

　수두 『경악전서景岳全書』에 수두水痘라는 이름으로 등장. 수두水豆(『의설醫說』), 수포水泡(『세의득효방世醫得效方』), 수진
水疹(『의학정전醫學正傳』)으로도 나타남. 우리나라에서는 "작은 마마"라고 했다는 견해가 있음. 풍열風熱에 외감된 소
치. 경과: 먼저 발열·두통 증상을 나타내고, 곧 이어 두면부의 피부 위에 홍색 구진이 발생, 이것이 변하여 타원형의
수포를 이룸. 사지로 퍼져나가기도 하지만 대개는 체간부에서 많이 나타남. 수포의 꼭대기는 둥글고 장액이 찬 엷은
물집이 생긴 후 약간 혼탁해지면서 딱지를 이루어 탈락되며 반흔을 남기지 않음. 수포의 크기는 다양함 - 이는 각 기期
의 수두가 동시에 존재하기 때문임. 두진의 분포가 희소하면 순증, 밀집되어 있으면 역증. 5~9세, 특히 4세에서 6세 사
이의 어린이에게 호발.

▶ **단독丹毒** 단독(erysipelas). 『천금요방』에 보임. 주변과 뚜렷한 경계를 가지는, 진피층을 침범하는 비화농성 홍반. 병소
가 화끈거리고 통증이 있음. 가려움증은 나타날 수도 있고 나타나지 않을 수도 있음. 얼굴 특히 뺨에 잘 나타나고 사지
나 기타 부위에도 출현. 대개 열독熱毒에 의한 것. 특히 허리나 늑간에 나타나는 것은 간경화열肝經火熱로 변증. 홍반 위
에 황백색의 소진小疹이 있고 진물이 흘러 피부가 미란되는 것은 습열濕熱.

▶ **사관창蛇串瘡** 대상포진帶狀疱疹(herpes zoster). 『의종금감醫宗金鑑』(1739)에 보임. 피부분절에 따라 수포가 나타나며 통
증이 심함. 허리에 나타난 경우 전요화단纏腰火丹, 두면부에 나타난 경우 두화단頭火丹이라고 하였음.

▶ **내선奶癬** 아토피 피부염. 『외과정종外科正宗』(1617)에 보임. 태선胎癬, 태렴창胎廉瘡이라고도 함. 생후 2개월부터 2세 사
이에는 주로 머리, 얼굴, 몸통 부위에 붉고, 습하고 기름지고 딱지를 형성하는 병변으로 나타남. 3세 이후 사춘기 이전
에는 전형적인 증상을 형성: 팔, 다리, 손목, 발목 등 구부러지는 부위에 피부 비후, 구진, 인설, 색소 침착, 소수포 등이
보이며 이마의 태선화, 눈 주위의 발적 및 인설, 귀 주위의 피부 균열 및 딱지 등이 생김. 성인기에는 대체로 호전되나
일부는 자극성 피부염 증상 잔존.

▶ **옹癰 · 저疽 · 절癤 · 정疔** 피부의 화농성, 궤양성 염증. 이른바 창양瘡瘍에 해당하는 피부 병소. 작은 것은 정과 절로 부
르고 큰 것은 옹과 저로 지칭함. 옹과 절은 비교적 가벼운 증상이고 저와 정은 비교적 중한 증상.

　옹癰 발적, 종창 부위가 높이 돌출되면서 발열과 통증이 있고 뿌리가 분명하게 잡힘. 대개 체질이 비교적 양호한 사람에
게서 나타나며, 이와 함께 오한, 발열, 두통, 무기력[乏力], 홍설[舌紅], 황태[苔黃], 홍삭맥[脈洪數] 등의 증상이 나타나기도 함.

　저疽 넓게 퍼져 있으면서 평탄하고 단단하면서 발적이 분명하지 않은 것. 대개 노약자에게서 많이 나타나며, 이와 함
께 면색창백面色蒼白, 정신부진精神不振, 담백설[舌淡], 백태[苔白], 침맥과 허맥[脈沈無力] 등의 증상이 나타나기도 함.

　절癤 뾰두라지. 천표부淺表部에서 발생하고 모양은 작고 둥글며 꼭대기에 농두膿頭가 보임. 발적, 통증이 심하지 않음.

화농이 되면 연해지고 증상이 경미해지지만 반복해서 발생하기 쉬움.

정疔 좁쌀이나 쌀 같은 것이 돌출됨. 뿌리가 단단하고 깊으며, 꼭대기가 희고 통증이 강함. 병소의 피부 감각 저하나 가려움증이 있음. 오한, 발열, 두통, 오심구토, 식욕부진 등의 증상이 나타나기도 함.

⑥ 낙맥絡脈과 손발톱의 망진

▶ **어제 낙맥의 망진** 어제혈魚際穴 부위 표재 정맥의 색깔 변화를 관찰하여 질병 상태를 진단하는 방법. 특히 소아의 진찰에 중요한 진단법임.

유래 『황제내경・영추・경맥經脈』에 처음으로 기재됨. 위胃의 한열을 감별하고 비증痺症 및 오한 발열, 호흡무력[少氣] 증상의 존재를 진단하는 방법으로 제시. 당대唐代의 손사막孫思邈이 소아의 간질 발작을 예견하는 데 사용. 이후 청대의 임지한林之翰이 『사진결미四診抉微』(1723)의 「진혈맥診血脈」에 어제 낙맥 진단법을 총괄적으로 정리.

해석 ① 청靑 ☞ 한寒・통痛 ② 적赤 ☞ 이열裏熱 ③ 흑黑 ☞ 혈어血瘀 또는 오래된 비痺. 병이 중한 경우에 해당.

※ 주사장朱砂掌: 어제 부위와 손가락의 끝 손바닥쪽이 선홍색鮮紅色을 나타내며 피부가 얇게 변하고 누르면 창백하게 변하는 것. 간울혈어肝鬱血瘀에서 많이 나타남.

▶ **소아삼관小兒三關 진단법** 소아의 제2지 장측掌側 전연前緣(엄지쪽)에 나타나는 표재 정맥의 변화를 관찰하여 병의 상태를 진찰하는 방법. 대개 3세 이하의 소아에게 적용.

원리 식지(제2지) 장측 전연의 낙맥絡脈은 촌구맥의 분지가 되고 촌구맥과 함께 수태음폐경에 속하여(수태음폐경은 그 분지가 식지 안쪽을 따라 유주함) 식지의 형태의 색깔의 변화는 촌구맥의 변화와 일반적으로 일치함. 따라서 식지에 나타나는 문양의 망진과 촌구맥의 맥진은 그 의의가 서로 같으므로 식지를 통해 체내의 상태를 진단할 수 있음.

소아에게 사용하는 이유 3세 이하의 소아는 촌구맥의 맥동 부위가 짧아 성인과 같이 세 손가락에 의한 맥진을 시행할 수 없고, 절맥시 대부분의 소아들이 몸을 움직이기 때문에 진실한 맥상을 구하기 어려우므로 손가락에 삼관三關을 설정하여 병의 상태를 관찰. 또한 소아는 피부가 얇아 정맥이 뚜렷이 나타나므로 관찰하기가 용이. 따라서 소아에게 식지 지문 망진법은 절진을 보조하는 방법으로 많이 활용됨.

방법 보호자가 소아를 감싸서 밝은 곳을 향하도록 하고 의사는 왼손의 엄지와 둘째손가락을 이용하여 소아의 둘째손가락(식지) 끝을 잡은 다음 오른손 엄지로 소아 식지를 지첨指尖으로부터 지근부指根部 쪽으로 몇 차례 밀어가며 적당한 힘을 가하면 정맥이 잘 드러나게 됨.

삼관 소아의 식지를 마디에 따라 삼관三關으로 명명. 첫 번째 마디가 "풍관風關"이고, 가운데 마디가 "기관氣關"이며, 끝 마디가 "명관命關"임.

임상적 의의 소아과 임상에서 많이 활용되는 일종의 보

풍관　기관　명관
風關　氣關　命關

그림 1-3. 삼관三關

조 진찰 방법(다른 진단법과 함께 사용). 소아지문을 통해 장부기혈臟腑氣血의 성쇠와 병의 표리, 한열, 허실을 살피고 병정病情의 경중輕重과 예후를 판단

관찰 소견의 해석 소아 식지는 엷은 홍황색紅黃色을 띠며 풍관風關을 초월하지 않은 것이 정상. 비정상 소견에 대해서는 다음과 같은 4개 요소를 중심으로 해석함

① 부침浮沈 ☞ 표증表證에서는 정맥이 얕은 곳에 나타나고 이증裏證에서는 정맥이 깊은 곳에 보임

② 색택色澤 ☞ 선홍색鮮紅色은 표증, 자홍색은 이열증裏熱證, 청색은 통증이나 급경풍, 자흑색은 혈어血瘀이자 위중함의 표시, 담백색淡白色은 기허, 감적疳積. 일반적으로 낙맥의 색이 진하고 어두우면 실증에 속하는 경우가 많고, 색이 엷고 윤기가 없으면 허증에 속하는 경우가 많음

③ 장단長短 ☞ 정맥이 풍관風關에 국한되어 나타나는 것은 외감초기外感初起의 상황. 기관氣關에까지 나타나는 것은 사기邪氣가 점점 깊어지는 것, 병정病情이 점차 심해지는 양상. 명관命關에까지 나타나는 것은 사기가 장부臟腑에까지 들어온 것이며 병정이 엄중한 상태. 만약 정맥이 손가락 끝까지 나타나며 색이 자흑색紫黑色을 띠게 되면 매우 위험한 것이며 예후가 불량 - "투관사갑透關射甲"이라고 함

이상에 대해 "정맥의 깊이는 표리를 구분하고, 색깔은 한열을, 채도는 허실을, 출현 부위는 경중을 구분한다浮沈分表裏, 紅紫辨寒熱, 淡滯定虛實, 三關測輕重"고 요약

④ 형상 ☞ 정맥의 분지가 뚜렷하게 나타나는 것은 대체로 실증實證·열증熱證, 분지가 불분명한 것은 대체로 허증虛證·한증寒證. 특히 기혈부족氣血不足.

▶ **손발톱의 망진** 손톱과 발톱의 색택色澤, 형태形態 등의 변화를 관찰함

색깔의 해석

① 백색: 창백蒼白한 것은 비신양허脾腎陽虛, 담백淡白한 것은 혈허血虛 또는 기혈양허氣血兩虛. 광백㿠白하고 힘이 없으며 누르면 창백해지는 경우는 원기휴손元氣虧損·간혈불영肝血不榮

② 적색: 열증熱證. 일반적으로 기분氣分의 열이지만 선홍색鮮紅色은 혈분血分의 열. 붉으면서 자색·강색絳色이 보이면 열독熱毒이 심경心經을 범한 경우 또는 비증痺證·역절풍歷節風. 색이 붉고 어두운 것은 어혈(비증痺症이 오래되거나 폐의 풍열風熱,·담화痰火로 인함). 다만 손발톱의 색이 음주, 목욕 후에 붉어지는 것은 정상적인 반응

③ 황색: 황달黃疸인 경우가 많음. 습열濕熱. 색이 선명한 것은 순증, 색이 어두운 것은 역증. 황색조갑증후군黃色爪甲症候群(yellow nail syndrome)에서도 주요한 증상. 손톱 표면에 회황색晦黃色이 나타나면서 황달이 아닌 경우는 구혈嘔血, 혈루血漏 증상을 보이는 만성질환인 경우가 많고 변증에 있어 비신양허脾腎陽虛인 경우가 많음. 그 밖에 간암, 자궁암 등 암환자에게서 손톱 표면에 회황색이 나타나는 경우가 있음

④ 청색: 한증寒證인 경우가 많음. 남색에 가까우면 실증實證. 어혈瘀血 특히 심혈어조心血瘀阻인 경우가 많음. 남색이거나 청자색靑紫色이면 예후 불량. 병이 오래되고 손톱과 수족이 모두 청색을 띠게 되면 간기肝氣가 끊어진 징후로서 예후가 매우 불량

⑤ 흑색: 매우 검은 색[烏黑]을 띠는 것은 어혈瘀血. 흑색을 띠면서 손톱이 메마른 것은 대체로 예후가 나쁘며 오랜 병을 앓은 후에 나타날 경우 신기腎氣가 끊어진 징후. 손발톱이 청흑靑黑하면서 홀연히 아성鵝聲을 지르는 것은 간기肝氣가 끊어진 징후. 흑색이면서 사지궐냉四肢厥冷, 구토, 안면청흑[烏靑]이 동반된 경우도 예후가 불량. 단 국소 외상에 의해 손발톱이 흑색을 나타내는 것은 어혈瘀血에 속하는 것으로 사증死證이 아님

형태의 해석

① 메마른 외형의 손발톱[乾枯甲]: 간열肝熱인 경우가 많으며, 심음허, 간혈허 및 혈어에도 나타남. 손발톱이 말라 물고기

의 비늘처럼 변하는 경우에는 "어린갑魚鱗甲"이라고 함 - 신기쇠갈腎氣衰竭이나 비의 운화運化 장애로 수액이 정체된 것

② 손발톱의 위축[萎縮甲]: 선천성인 손발톱의 발육부진은 선천품부부족先天稟賦不足, 정혈휴손精血虧損으로 발생. 손톱이나 발톱이 위축되어 번데기에서 방금 깨어난 곤충의 껍질처럼 변하는 것은 심음허손心陰虛損, 혈행불창血行不暢으로 발생. 여풍癘風(한센씨병)에서도 나타남.

③ 손발톱의 박리[剝離甲]: 주로 한 손가락의 손톱에 단독으로 나타나나 간혹 여러 손가락에 다발성으로 나타남. 처음에는 손톱의 가장자리 부분이 백색을 띠면서 틈이 생기며 떨어지다가 점점 심해지면서 손톱의 뿌리부분까지 넓게 번지게 되어 손톱이 회백색을 띠면서 광택이 없어지고 연하면서 얇아짐. 일반적으로 각종 출혈성 질환이나 영양실조 등에 의한 빈혈에서 발생

④ 손발톱의 탈락[脫落甲]: 탈저脫疽, 여풍癘風, 사정蛇疔 등의 질환에서 보임. 외과질환 후에 손발톱이 빠지는 것을 제외하고 빠진 손발톱이 다시 재생되지 않는 것은 위험한 징후(명문화쇠命門火衰)

⑤ 손발톱의 연화[軟薄甲]: 갑상甲床이 엷어지고 반월半月이 부정不整하며 손톱의 주름도 가지런하지 않게 됨. 출혈出血, 칼슘결핍, 여풍癘風, 오랜 비증[久痺] 등에서 잘 나타남. 기혈양허氣血兩虛, 혈어血瘀

⑥ 손발톱의 비후[粗厚甲]: 표면이 광택을 잃고 회백색을 띠며 표면이 울퉁불퉁해지고 건조해지면서 잘 부러져 결손부가 나타나고 갑상甲床에 황반黃斑이 생김. 조갑백선爪甲白癬(고서에서는 아조풍鵝爪風(『外科全生集』), 유회지갑油灰指甲(『外科壽世方』)등으로 지칭)에서 나타남. 변증상 대개 기허혈조氣虛血燥 또는 습독외침濕毒外侵에 해당

⑦ 갈고리 모양의 변형[鉤狀甲]: 손톱이 손가락 끝을 따라 굽어져서 중간부분이 융기되어 산처럼 불룩해지며 심한 경우 매의 발톱모양으로 변하고 표면이 거칠어지고 흑색, 회흑색, 흑록색이 나타나면서 불투명해지고 광택이 없어짐. 외상으로 인해 발생하는 경우가 많으나 선천적인 경우도 존재. 근육 연축을 동반하는 비증[風痺]에서도 나타남. 변증상 기체혈어氣滯血瘀에 해당하는 경우가 다수

⑧ 뒤집힌 모양의 손톱: 반갑反甲 또는 작형갑勺形甲이라 칭함. 갑판이 얇아지고 연해지면서 손톱의 가장자리가 말려서 일어나 중앙 부위가 오목해져 주걱 모양으로 변하는 것. 기혈양허氣血兩虛 또는 간혈부족肝血不足, 비허脾虛. 평소 비위가 허약하거나 심하게 야윈 경우, 또는 큰 병을 앓은 후에 잘 나타남. 징가癥瘕·적취積聚에서도 출현 가능

⑨ 가로 주름[橫溝甲]: 손톱의 표면에 가로로 불규칙한 간격의 도랑이 나타나면서 투명도가 떨어지는 것. 간기능장애의 징후. 손톱 아래에 어혈이 보일 경우에는 외상外傷. 관찰되는 증證으로는 폐의 외감 조열燥熱, 간기울결肝氣鬱結, 기허혈어氣虛血瘀 등이 많음

⑩ 세로 주름[崎棱甲]: 손톱 표면에 세로로 불규칙한 간격의 도랑이 나타나는 것. 종구갑縱溝甲이라 칭하기도 함. 간신부족肝腎不足, 간양상항肝陽上亢, 기혈양허氣血兩虛 등에 보임

7 배출물의 망진

▶ **개요** 환자의 분비물, 배설물의 형태, 색깔, 질, 양의 상태 및 변화를 진찰하여 변증辨證의 근거를 마련함

관찰의 범위

① 분비물: 인체 관규管竅로부터 분비되는 액체. 눈물[淚], 콧물[涕], 침[唾와 涎], 대하帶下 등 ② 배설물: 인체에서 배설되는 대사산물 ㉠ 생리적 배설물: 대변, 소변, 월경혈 등 ㉡ 병리적 배설물: 가래[喀痰], 구토물 등

해석의 일반 원칙

① 색이 희고, 맑고 묽으며, 양이 많은 경우는 대개 허증虛證, 한증寒證. 『황제내경 · 소문 · 지진요대론至眞要大論』에서 "분비되는 체액이 맑고 차가운 일체의 질병은 모두 한증에 속한다[諸病水液, 澄澈淸冷, 皆屬於寒]"고 하였음 ② 색깔이 노랗고, 진하고 탁하며, 양이 적은 경우(경우에 따라 양이 많은 경우도)는 대개 실증實證, 열증熱證. 『지진요대론』에서 "근육 경련으로 몸이 뒤틀리거나 분비물이 혼탁한 일체의 질병은 모두 열증에 속한다[諸轉反戾, 水液混濁, 皆屬於熱]"고 하였음

▶ **담연痰涎의 망진**

가래[喀痰] 객담의 색, 질, 양의 변화를 관찰하여 병사病邪의 성질 및 정사正邪 관계를 살핌. "비는 담을 생성하는 근원이며 폐는 담을 저장하는 그릇이다[脾爲生痰之源, 肺爲貯痰之器]"(『증치휘보證治彙補 · 담증痰證』)

① 희고 맑은 가래[白淸痰]: 양이 많으며 한담寒痰에 속하는 경우가 많음.

② 누렇고 진한 가래[黃稠痰]: 덩어리가 섞여 있음. 열담熱痰에 속하는 경우가 많음. 폐화肺火나 기타 열사熱邪로 인해 진액이 말라 담痰으로 화한 것

③ 건조한 가래[燥痰]: 소량이며, 점도가 높아 뱉으려 해도 잘 안 됨. 폐음허肺陰虛나 외래의 조사燥邪로 인해 폐의 진액이 손상된 경우

④ 맑고 거품이 섞인 가래[淸泡痰]: 주로 현훈眩暈, 흉민胸悶을 동반함. 담탁痰濁이 상승하여 간풍肝風을 동요시킨 풍담風痰인 경우가 많음

⑤ 희고 매끄러운 가래[白滑痰]: 묽은 편이며 양이 많음. 조담燥痰에 비해 쉽게 배출됨. 비허脾虛로 습사濕邪가 뭉쳐 담痰을 형성한 경우 또는 폐의 습담濕痰에서 나타남

⑥ 혈액이 섞인 가래[痰中帶血]: 폐음허肺陰虛, 간화범폐肝火犯肺에서 나타남. 이른바 '객혈喀血'의 대부분은 이에 해당. ※ 입으로 피가 나오는 현상 가운데 기관 등 호흡기의 출혈을 객혈, 식도 등 위장관의 출혈을 토혈이라 함

⑦ 비린내 나는 피고름이 섞이는 경우[膿血腥痰]: 객담 속에 농혈膿血이 섞여 있음. 비린내가 나는 경우는 폐옹肺癰에 속하는 경우가 많음

침[涎] 침은 비장에 속한 체액[脾之液]임. 따라서 침을 통해 비위脾胃의 병변을 관찰함

① 맑은 침[淸涎]: 맑은 침이 다량 분비되는 경우는 비위허한脾胃虛寒, 비위양허脾胃陽虛하여 기가 진액을 화생하지 못한 것[氣不化津]

② 끈적한 침[粘涎]: 비위습열脾胃濕熱로 인한 경우가 많음

③ 소아의 구각유연[口角流涎]: 체이滯頤라고도 함. 비허脾虛, 혹은 위열충적胃熱蟲積에서 나타남 ※ 성인의 구각유연 ☞ 파킨슨씨병 등

▶ **구토물의 망진** 위기는胃氣는 하강하는 것이 원칙[胃主降]인데 위기가 상역上逆함으로써 구토가 발생. 외감外感, 내상內傷에서 모두 발생할 수 있음.

맑고 시큼한 냄새가 없는 경우[淸稀無酸臭] 한증[寒嘔]인 경우가 많음

지저분하고 시큼한 냄새가 있는 경우[穢濁有酸臭] 열증[熱嘔], 식상[傷食]인 경우가 많음

황록색의 쓴 물을 토하는 경우[嘔吐黃綠苦水] 간담에 습열이 발생하고 이 습열이 위를 침범[濕熱犯胃]하여 담즙이 역상[膽汁上溢]한 경우임

맑은 물을 게우는 경우[嘔吐淸水痰涎] 위내수음胃內水飮으로 인한 경우가 많음

혈액이나 핏덩어리를 게우는 경우[嘔鮮血或血塊] 음식물이 섞여 있는 경우 위열胃熱, 기타의 경우는 간화범위肝火犯胃, 위부혈어胃腑血瘀임

▶ **대변의 망진** 대변은 비, 위, 대장, 소장 기능과 밀접한 관련. 또한 간의 소설疏泄, 신양腎陽의 온후溫煦 기능과도 관련. 대변은 한열허실 감별에 도움을 줌

묽은 변[淸稀水樣便] 한습寒濕에 외감外感되거나 생냉물生冷物의 과식으로 비脾의 운화運化에 이상이 생겨 발생

황갈색 진득한 변[黃褐糜臭便] 습열설사濕熱泄瀉인 경우가 많음

소화되지 않은 음식물이 섞여있는 변[完穀不化便] 비허脾虛, 혹은 신허腎虛

끈적하며 농혈이 섞인 변[粘稠膿血便] 이질인 경우가 많음.

회백색 변 황달에서 간담소설肝膽疏泄 이상으로 나타남.

단단한 변[羊屎] 열성상진熱盛傷津 또는 기허, 양허로 인해 대장의 전도傳導 기능이 약해진 경우

혈이 섞여 있는 경우[便血] ① 혈색이 선홍색이면 결장부 이하 출혈이 대부분이며 '근혈近血' 이라고도 함. 장풍하혈腸風下血, 치질痔疾 등에서 나타남 ② 혈색이 암홍·자흑색이면 결장 상부 출혈이 대부분이며 '원혈遠血' 이라고도 함. 내상노권內傷勞倦, 비허脾虛, 간위불화肝胃不和 등에서 나타남

▶ **소변의 망진** 소변은 특히 신, 방광 기능과 밀접한 연관이 있음. 폐는 선발숙강宣發肅降, 통조수도通調水道하고 비脾는 운화運化를 주관하며 간은 소설疏泄을 주관하여 모두 수액대사와 연관을 지님.

소변청장[小便淸長] 허한증과 연관이 많음

소변단황[小便短黃] 실열증과 연관이 많음

요혈[尿血] 소변에 혈액에 섞여 있으며 통증이 없음. 열상혈락熱傷血絡, 습열濕熱(습열이 하초에 온결蘊結), 비신양허脾腎陽虛 등에서 나타남. 만일 통증을 동반하면 혈림血淋이라 함(열상혈락 또는 습열).

소변백탁[小便白濁] 비장과 신장이 허하여[脾腎虧虛]로 습열이 아래로 몰려[濕熱下注] 나타남. 만일 소변이 탁한 것이 고름과 같고 배뇨시 통증을 동반하면 고림膏淋이라 함. 하초습열下焦濕熱에 해당

8 설진

▶ 설진의 역사

원대 이전 설진이 본격적으로 시작되지 않은 시기. 『황제내경』에는 설건舌乾(소문·열론), 설초舌焦(영추·자절진사),
설상황舌上黃(소문·자열론) 등의 색택에 대한 설명과 설권舌卷(소문·진요경종론, 영추·오열오사), 설종舌縱(영추·
한열병), 설본강舌本强(소문·진요경종론) 등의 설의 동태에 대한 표현이 등장. 『상한론』에도 혀의 건조(설조舌燥, 설상
조舌上燥, 설상건조舌上乾燥)와 습윤(설상태활舌上苔滑, 설상백태활舌上白苔滑)에 대한 표현이 등장하며 일부 조문에서 설
태(설상태舌上苔), 특히 백태에 주목(설상백태舌上白苔, 설상백태활舌上白苔滑)하고 있음. 이후 주굉朱肱의 『유증활인서類
證活人書』(1108)는 상한에서 나타나는 설질 건조와 백태 및 흑태에 관한 언급을 하였고 전을錢乙의 『소아약증직결小兒藥
證直訣』(1119)에서 소아의 각종 혀 질환에 대해 설명.

원대 설진 전문서적이 출현. 두본杜本의 『오씨상한금경록敖氏傷寒金鏡錄』(1341)이 간행됨. 36종의 설상에 대한 설명을
수록. 훗날 명대 설기薛己의 『설씨의안薛氏醫案』에 편입되어 『외상금경록外傷金鏡錄』으로 발전

명대 신두원申斗垣(자는 拱宸)의 『상한관설심법傷寒觀舌心法』(16세기) ☞ 135종 설상 수록. 설진을 집대성한 전문서적(단
현재 전하지 않음). 장등張登의 『상한설감傷寒舌鑑』(1668) ☞ 120종의 설진도를 수록. 후세에 많은 영향을 줌. 청대의
양옥유梁玉瑜는 이 책을 바탕으로 하여 설진도를 149종으로 증보한 『설감변정舌鑑辨正』(1894)을 간행.

청대 온병학의 태동·발전과 함께 설진이 발전. 섭계葉桂의 『온열론溫熱論』(1746)에서 설체와 설태에 대한 해석 방법
을 체계적으로 기술. 오늘날 설진 방법의 기초를 제공. 이후 설진 전문서로서 서영태徐靈胎의 『설감총론舌鑑總論』(1764),
부송원傅松元의 『설태통지舌胎統志』(1874) 등이 간행됨.

현대 종래에 외감병 진단에 주로 사용되던 설진의 적용 범위를 내상잡병 진단에까지 확장함.

▶ 혀의 구조와 기능

설상면(배면)의 구성 설첨舌尖, 설중舌中, 설변舌邊, 설근舌根으로 나눔. 설근을 제외한 부분에 사상유두絲狀乳頭(실유두)
와 이상유두苐狀乳頭(버섯유두)가 분포. 설근부에는 유곽유두有郭乳頭(성곽유두)와 엽상유두葉狀乳頭(잎새유두)가 분포.

설하면의 구성 중앙에 설소대舌小帶(중=舌繫帶)가 지나가고 양쪽으로 설하정맥이 주행.

설유두舌乳頭의 종류와 분포 혀나 입천장에 많은 수의 돌기가 분포하는데 이를 유두乳頭, papilla라 함. 입천장 쪽의 유
두를 구개유두, 혀의 유두를 설유두라 지칭. 유두의 측면에 미각 조직인 미뢰味蕾가 존재. 사상유두絲狀乳頭(毛狀乳頭, 실
유두)는 실과 같은 모양이며 혀의 전면(설근을 제외한 설면 전체)을 가장 넓게 덮고 있는 유두. 혀에서 관찰되는 유두
의 대부분은 사상유두임. 원래의 형태는 실 모양이나 대개 설태가 사상유두를 둘러싸고 있기 때문에 둥근 모양으로 보
임. 이상유두苐狀乳頭(茸狀乳頭, 蕈狀乳頭, 버섯유두)는 구형의 돌기이며 사상 유두 사이에 드문드문 분포하고 보다 큰 돌
기의 형태로 보임. 엽상유두葉狀乳頭(잎새유두)는 설근부에 분포하고 있는 길고 비교적 큰 유두, 유곽유두有郭乳頭(성곽
유두)는 가장 큰 지름의 유두로서 테두리를 가지고 있음. 설근부에 일렬로 분포.

▶ 혀와 장부·경락의 관계

혀와 심心의 관계 혀는 심장의 '싹'과 같은 존재[舌爲心之苗], 심장의 기가 혀로 통하므로 심장이 편안하면 혀가 오미를
구분할 수 있게 됨[心氣通於舌, 心和則舌能知五味矣]

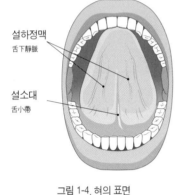

목젖
구개편도
口蓋扁桃

유곽유두
有廓乳頭

엽상유두
葉狀乳頭

이상유두
李狀乳頭

설하정맥
舌下靜脈

설소대
舌小帶

그림 1-4. 혀의 표면

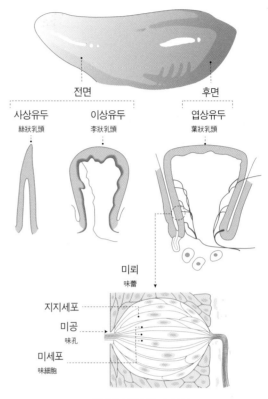

전면
후면

사상유두
絲狀乳頭

이상유두
李狀乳頭

엽상유두
葉狀乳頭

미뢰
味蕾

지지세포

미공
味孔

미세포
味細胞

그림 1-5. 설유두와 그 구조

혀와 비위胃의 관계 비장의 기가 입으로 통하므로 비장이 편안하면 입이 오곡을 헤아리게 됨[脾氣通於口, 脾和則口能知五 穀矣]. 혀는 비의 외후外候

혀와 진액 혀에는 항상 침이 덮여 있으므로 혀의 건조 여부는 체내 진액의 충만·부족을 살필 수 있는 단서가 됨

혀의 부분별 장부 배속 과거 몇 가지 배속 형태가 있었으나, 현행의 규정에 따르면 설근부는 신장, 설중은 비위, 설첨 과 그 주변은 심폐, 설변은 간담에 속함.

▶ 설진의 의의

설진은 ① 기혈의 성쇠, ② 진액의 충만 여부, ③ 장부의 허실, ④ 병의 깊이를 반영. 결과적으로 예후의 양호 여부를 알 려주는 지표가 됨.

▶ 설진의 방법과 주의사항

광선과 조명 충분한 광량의 자연광이 비치는 곳에서 관찰. 주변에 유색 물체의 반사광이 강한 곳은 피할 것(색상 왜곡 이 있을 수 있음). 백색이 아닌 특정 색깔의 인공 광원도 피해야 함.

자세 설체를 충분히 노출하도록 지시. 설첨부가 아랫입술을 향해 내려오도록 해야 함. 의식적으로 혀를 고정하려 할 경우 혀의 흔들림이 오히려 강해질 수 있으므로 자연스럽게 혀를 내밀도록 해야 함. 설하부를 관찰할 때는 혀 끝을 윗 니에 접촉하거나 가까이 하되 설하면이 충분히 넓게 보이도록 입을 크게 벌리게 함

염태染苔의 배제 음식물의 섭취는 설진 소견에 큰 영향을 미침. 설진 실시 전의 음식물 섭취 상황을 확인하여 잘못된

진단을 하지 않도록 주의해야 함 ① 과도하게 차거나 뜨거운 음식 ☞ 설질의 색깔에 영향 ② 진단 직전의 수분 섭취 ☞ 설질 · 설태의 습윤도에 영향 ③ 음식물의 저작과 마찰 ☞ 설태의 후박(두께)에 영향 ④ 특히 특정 색깔의 음식물 섭취는 설태의 색깔에 큰 영향을 미치며, 이처럼 음식물에 의해 변색된 설태를 '염태染苔'라 함. 흔히 염태를 유발하는 음식: 우유, 한약, 쥬스, 초콜릿, 아이스크림(죠스바, 수박바 등)

치아의 상태 일부 치아의 탈락 ☞ 설태 후박厚薄의 불균등을 초래할 수 있음.

선천적 변이 혀의 선천적인 변이에 주의. 예를 들어 선천적인 설소대 단축, 선천적인 혀의 주름 · 고랑 등

체질의 문제 체질적인 문제로 특정 설상을 장기간 유지하는 사람이 있음. 비위습열脾胃濕熱 체질인 자: 백후태白厚苔 / 체질적으로 위의 진액이 부족한 자: 무태無苔, 홍설紅舌

병리 소견이 아닌 설상 건강인에게도 설변에 치흔齒痕이 존재하는 경우가 있으며 정상인 200명당 1인 정도는 설면에 열문裂紋이 보임

▶ 설진의 관찰 대상

설질(설체) 혀 자체. 장부의 허실, 한열과 질병의 경중 및 예후 판단. 혈병血病을 주로 반영. 색깔, 형태, 자세와 동태를 관찰.

설태 설유두에 형성되는 유색의 부착물. 위기(진액)의 허실虛實, 존망存亡과 병사病邪의 성질, 병위의 천심淺深을 지시. 기병氣病을 주로 반영. 색깔, 형태, 질 및 천이 과정을 관찰

설하락맥 설하정맥sublingual vein. 과도한 팽륭이나 연장[舌下絡脈怒張]이 있는지, 지나치게 어두운 색깔은 아닌지 관찰

▶ 혀의 정상 소견

담홍설, 박백태가 기본.

설질 색깔은 담홍淡紅, 습윤도 적절[潤澤], 자세가 바르며, 동작이 원활[柔軟圓滑]

설태 색깔은 '백', 두께는 '박'. 즉 박백태薄白苔가 기본. 습윤도 적절[不滑不燥], 뭉친 듯 보이는 부분이 없고 얇고 고르게 덮여 있음[均平淸淨]

설하정맥 정상적인 설하정맥의 길이는 설첨舌尖에서 설소대 기시부까지 연결한 선의 3/5을 초과하지 않으며 맥관 직경이 2.7㎜ 미만, 정맥이 굽었거나 자흑색紫黑色의 이상 소견이 없는 것

▶ 설색의 관찰

담백설淡白舌 핏기가 없는 엷은 색깔의 혀. 허한증虛寒證, 허증, 한증, 기혈양허증氣血兩虛證

담홍설淡紅舌 일반적인 색깔의 혀. 정상

홍설紅舌 붉은 빛깔의 혀. 열증(실열, 허열 포함)

강설絳舌 붉은 빛이 나지만 변색된 느낌(공기 중에 노출된 적색 과육의 색). 이열裏熱의 항성

자설紫舌 자줏빛이 섞인 혀. 이열의 항성, 음한내성陰寒內盛, 혈어증血瘀證

청설靑舌 푸르스름한 혀. 기혈양허증, 혈어증, 열극熱極, 한극寒極

▶ 설형의 관찰 - 기본 강령

영고榮枯 ① 영설榮舌: 붉은 색이 선명하고, 설체의 움직임이 활동적. 혀에 생기가 있다는 표현이며, 기혈이 충만하고, 장부의 기능이 쇠퇴하지 않았음을 나타냄. ② 고설枯舌: i) 설질이 건조하며 거칠고[乾澁] ii) 혀의 색이 지나치게 담백淡白하거나 지나치게 자암색紫暗色을 띠고 iii) 설체의 움직임이 활동적이지 않은 경우. 생기가 없는 표현이며 기혈이 크게

손상되고 장부의 기능이 쇠패된 것을 나타냄. 예후 불량.

노눈老嫩 ① 노설老舌: 설질이 거칠고, 단단하며 굳고 나이가 들어 보임. 실증 혹은 열증에서 많이 볼 수 있다. ② 눈설嫩舌: 설질이 윤기가 있으며, 두툼하게 살쪄 있고 살이 약해 보인다. 대부분 허증 혹은 한증에서 볼 수 있다.

비수肥瘦 ① 수박설瘦薄舌 설체가 얇고 위축된 모양인 것. i) 담백색의 수박설: 기혈양허증. 왼쪽 사진의 허는 색이 담백淡白하고 설체가 수척하여 기혈양허에 해당 ii) 홍색 또는 강색의 수박설: 음허화왕陰虛火旺. 오른쪽 사진의 허는 설체가 수척하고 허의 색이 홍강紅絳하며 설중과 설첨이 건조하여 갈라진 무늬가 있고 설태가 적어 음허화왕, 위기허쇠胃氣虛衰와 진액손상을 나타내고 있음 ② 반대설胖大舌 설체가 두껍고 팽창된 모양인 것. i) 황니태黃膩苔를 겸한 경우: 비위습열증脾胃濕熱證 ii) 담백설에 치흔을 겸한 경우: 비신양허증脾腎陽虛證

▶ **설형의 관찰 - 특징적 소견들**

열문裂紋 허 표면의 갈라진 무늬. 주로 열증의 표현. i) 홍설이나 강설의 열문: 열증의 지표(열성상진熱盛傷津) ii) 담백설의 열문: 혈허, 비습脾濕 iii) 담홍설의 열문: 진액부족 또는 기혈양허

망자芒刺(點刺) 허 표면의 돌기. 사열항성邪熱亢盛의 표현. 망자의 크기는 열사熱邪의 경중을 표현하며 망자의 부위는 열사의 소재 장부를 표현(설첨 ☞ 심화항성증, 설중 ☞ 위열증, 설변 ☞ 간담화성증肝膽火盛證). 맵고 자극적인 것을 과식하거나 야간 작업으로 긴장한 사람에게도 망자설이 나타남

치흔齒痕 설변부에 나타나는, 이에 눌린 듯한 자국. 작은 찻숟갈로 누른 듯한 형태. 비신양허脾腎陽虛로 인한 수습내정水濕內停

중설重舌 혀 아래에서 설체가 중첩된 모양을 보이는 것. 침샘의 염증이나 설하혈관종(=연화설蓮花舌)에 해당. 심화상염心火上炎, 심비경心脾經의 열, 사려태과思慮太過, 풍담상박風痰相搏 또는 국소의 열독熱毒.

설창舌瘡 혀에 나타난 화농성 염증. 설감舌疳이라고 함(주: 설감의 일부는 설암에 해당). 허의 상하 사방에 흩어져 나타날 수도 있음. 대개 동통이 있으나 간혹 없는 경우도 있음. 심화心火, 위열胃熱 및 기타의 음허에서 출현. 일시적으로 과로한 경우에도 나타남.

설뉵舌衄 허에서 나타나는 출혈. 백혈병, 재생불량성빈혈 등의 혈액질환에서 자주 보임. 심心·비脾의 열 또는 기타 허열

설치舌齒(舌爛) 연꽃 모양의 육아肉芽가 생긴 것. 표면은 헐어 문드러져서 격심한 통증이 있음. 혀의 양성·악성 종양에 해당. 심心·비脾의 열. cf. 설균舌菌

▶ **설태舌態의 관찰**

강경설強硬舌 허가 뻣뻣하여 자유롭게 움직이지 못함. 실증의 징후. 외감에서는 열입심포熱入心包 또는 열성상진熱盛傷津, 내상에서는 전간癲癇 및 간풍내동肝風內動, 담미심규痰迷心竅, 풍담조락風痰阻絡에서 보임. ※ 설연舌軟: 허가 유연한 것으로 정상적인 상태

위연설痿軟舌 설체가 연약하고 무력하게 펴져 있으며 동작이 활발하지 않음. i) 오랜 병에서 담백설, 윤태潤苔와 함께 나타날 때 ☞ 심한 기혈부족 ii) 오랜 병에서 홍·강설, 조태燥苔와 함께 나타날 때 ☞ 음허(특히 간신음허), 진액부족 iii) 새로 걸린 병에서 홍·강설, 조태와 함께 나타날 때 ☞ 열성상진熱盛傷津

왜사설歪斜舌 허가 한 쪽으로 치우침. 중풍 및 그 전조증, 후유증에서 흔히 보임

설전동舌顫動 허가 떨림. 고혈압, 중풍, 알코올 중독 등에서 나타남. i) 담백설이나 담홍설에서 나타날 경우: 오랜 질병 이환으로 인한 기혈양허氣血兩虛 ii) 홍설에서 나타날 경우: ㉠ 열극생풍熱極生風 ㉡ 망음亡陰 ㉢ 심비허손心脾虛損

토롱설吐弄舌 혀를 내놓고 있거나(토설), 혀를 쉴 새 없이 움직이는 경우(농설). 함께 나타날 수도 있음. 심비열성心脾熱盛 또는 소아발육부전.

단축설短縮舌 혀를 길게 내밀지 못하는 경우.

▶ **설하락맥의 관찰**

설하락맥노장舌下絡脈怒張 설하정맥의 팽대, 확장. 대개 정상보다 어두운 색깔. 혈어血瘀의 표현

설하락맥어체舌下絡脈瘀滯 설하정맥 또는 기타 모세혈관에 불규칙한 점상, 선상, 편상片狀으로 피가 맺힌 것이 보임. 어떤 것은 물고기 알 모양과 같음. 역시 혈어의 표현

▶ **설질의 변화 유형**

외감열병에서의 설질 변화 담홍淡紅 → 미홍微紅 → 홍紅 → 심홍深紅 → 강絳 → 홍강紅絳 → 순강純絳ㆍ건조 → 강絳ㆍ건조ㆍ열문 → 강자絳紫ㆍ건조ㆍ위축

내상잡병에서의 설질 변화 ① 기허와 양허: 담홍淡紅 → 담홍淡紅ㆍ미반微胖 → 담홍淡紅ㆍ치흔齒痕 → 담백淡白ㆍ반눈胖嫩 → 담백淡白ㆍ반대胖大ㆍ열문 → 담청자淡青紫 → 담청자淡紫青ㆍ습윤 ② 혈허: 담홍淡紅 → 담홍淡紅ㆍ수소瘦小 ③ 음허: 담홍淡紅 → 홍紅ㆍ수소瘦小 → 심홍深紅ㆍ수소瘦小 → 강絳ㆍ수소瘦小ㆍ건조 → 강絳ㆍ수소瘦小ㆍ열문

▶ **설태舌苔의 진단 의의** 설태의 망진을 통해 환자에게 침범한 외사外邪의 천심深淺, 질병의 경중, 소화 능력의 강약 및 정기와 사기의 세력을 변별할 수 있음

▶ **태색苔色의 관찰** 설태의 색깔에는 백, 황, 초焦, 갈褐, 회, 흑색 등의 변화가 있으며, 태색의 변화로써 외사의 침입 상황이나 병의 상태가 진행된 정도를 알아냄

백태白苔 표증, 한증, 허증, 습증. 열성병의 회복기나 만성기관지염, 천식, 만성신염 등에서 볼 수 있지만 일반적으로 질병 초기나 가벼운 질병에서 많이 나타나며 예후도 비교적 양호함

황태黃苔 이증裏證, 열증. 폐렴, 장관 감염, 간염, 충수염, 소화기능실조 등에서 많이 나타나며, 급성열병에서 사기가 왕성한데 정기가 약해지지 않았거나 사기와 정기의 충돌이 격렬할 경우에 나타남

회태灰苔 이증, 담습, 한증, 이열증, 열극진고熱極津枯, 양허한성陽虛寒盛. 회태, 흑태 모두 질병을 오래 앓은 환자나 중병 환자에게서 많이 나타남. 환자의 저항력이 극도로 저하되었음을 의미하며 예후도 비교적 불량

흑태黑苔 이증, 열극상음熱極傷陰, 한성寒盛, 신음휴손腎陰虧損. 흑태가 나타날 때는 태색 이외의 소견과 동반 증상에 따라 한열허실을 구분. 허증의 경우에는 정신이 또렷하나[神淸] 피로감을 느끼며[身倦], 실증의 경우에는 의식이 저하되지만 [神昏] 목소리는 강함[言壯]. 물을 마시려 할 경우[喜飮]는 열증, 반대의 경우[不喜飮]는 한증임

백태의 겸색兼色 ① 황백태黃白苔: 풍한風寒이 화火로 변하는 경우 또는 사기가 양명陽明으로 들어가는 경우 ② 회백태灰白苔: 활滑한 것은 한습寒濕, 탁濁한 것은 한습이 담痰을 겸한 것, 백태에다 반변이 회백색인 것은 상한의 반표반리증 ③ 흑백황태黑白黃苔 병병倂病혹은 합병合病 등 ④ 회백흑태灰白黑苔: 태음경의 습사濕邪

회태와 흑태의 겸색 ① 박회흑태薄灰黑苔: 엷은 검댕을 칠한 것 같은 회흑색의 설태. 활윤滑潤한 것이 많음. 양허 또는 한습 ② 회흑태灰黑苔: 회흑색이고 건조하면 대체로 열성상진熱盛傷津ㆍ음허화왕陰虛火旺 ③ 황회태黃灰苔: 습이 오래되어 열이 발생된 경우 ④ 황흑태黃黑苔: 태음의 습열내결濕熱內結

▶ **태질苔質의 관찰**

설태의 후박厚薄 병사病邪의 천심淺深과 병정病情의 진퇴進退를 반영 ① 박태薄苔: 표증, 비위허손 ② 후태厚苔 - 이증, 식적食積, 담습痰濕

설태의 윤조潤燥 진액津液의 허실虛實·존망存亡을 반영 ① 윤태潤苔: 진액이 손상되지 않았음을 표시. 활태滑苔[습윤도가 과도한 경우] ☞ 습담濕痰, 한습寒濕 ② 조태燥苔: 진액손상, 열증.

설태의 부니腐膩 습탁濕濁, 담음痰飮, 식적食積의 표현 ① 이태膩苔: 끈끈한 물질로 덮여 있는 듯 보이며, 외견상 과립 모양이 없어질 정도로 설태가 치밀한 상태. 습증濕證 ② 부태腐苔: 과립이 크고 두꺼움. 두부 비지 같은 모습. 쉽게 벗겨짐. 위열胃熱, 식적

설태의 박락剝落 위기胃氣, 위음胃陰의 성쇠를 표시. 박락이 있을 경우 위기허손, 위음부족으로 해석 ① 화박태花剝苔: 박락 부위가 습윤 ② 유박태類剝苔: 박락 부위에 윤기가 없고 새로 생긴 설태에 과립 혹은 유두가 나타나는 것

③ 지도설地圖舌: 박락부의 경계가 돌기되어 뚜렷하게 보이며 박락 부위가 때때로 이동함. 기음양허증氣陰兩虛證. 과민체질의 아동에게도 잘 나타남

④ 경면설鏡面舌: 설태가 벗겨진 후 재생하지 않고 태가 없는 상태가 되어 거울과 같이 빛나는 상태. 위음허胃陰虛, 위기대상胃氣大傷, 기음양허氣陰兩虛.

▶ **태형苔形 변화의 관찰**

설태의 진가眞假와 유근有根·무근無根 위기胃氣의 존망과 사정성쇠邪正盛衰를 반영 ① 진태眞苔(有根苔): 굳게 붙어서 잘 없어지지 않는 것 실증, 열증. 위기가 아직 쇠약해지지 않았음을 표시. 질병의 후기에 무근태 밑에 새로운 설태가 생성되는 것은 질병의 호전 징후 ② 가태假苔(無根苔): 닦으면 없어지는 것. 허증, 한증. 위기가 쇠약해 진 것을 나타냄. 질병이 가벼운 경우에도 가태가 나타날 수 있음. 식사 후에 태가 없어지는 것은 이허裏虛 또는 정상 소견.

설태 유무의 변동 ① 질병 이환 중 무태에서 갑자기 유태로 변하는 경우 ☞ 위의 탁기濁氣가 범람하거나 열사熱邪가 점차로 왕성해지는 상황 ② 질병 이환 중 유태에서 갑자기 무태로 변하는 경우 ☞ 위음胃陰의 고갈. 위의 생발지기生發之氣

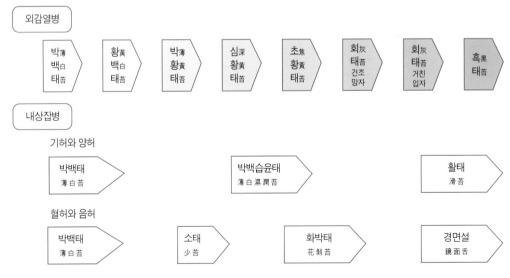

그림 1-6. 외감병과 내상병의 일반적 설태 변화 유형

가 부족한 것

설태 분포의 변동　① 혀 주변부는 유태, 가운데는 무태 ☞ 병사病邪가 이부裏部로 들어갔으나 아직 깊지 않고 위기胃氣가 먼저 손상된 경우 ② 가운데는 유태, 주변부는 무태 ☞ 표사表邪가 줄었지만 여전히 위와 장에 적체가 있거나 담음의 질병인 경우 ③ 한 쪽으로 설태가 치우쳐 존재 ☞ 병사가 반표반리에 있는 경우

▶ **설태의 변화 유형**

외감열병의 설태 변화　박백태薄白苔 → 황백태黃白苔 → 박황태薄黃苔 → 심황태深黃苔 → 초황태焦黃苔 → 회태灰苔 · 건조 · 망자芒刺 → 회태灰苔 · 거침[粗造]→ 흑태黑苔 · 거침

내상잡병의 설태 변화　① 기허와 양허: 박백태薄白苔 → 박백습윤薄白濕潤 → 활태滑苔 ② 혈허와 음허: 박백태薄白苔 → 소태少苔 → 화박태花剝苔 → 경면설鏡面舌

Chapter 2

두면부의 망진과 촬영 및 분석

학습목표

▶ 이 실습의 목적은 두면부 영상을 촬영하고, 망진을 통해 두면부의 주요 평가지표들에 해당되는 항목들을 추출하고 분석하여, 그 결과에 따라 두면부 영상과 망진의 특징을 분류할 수 있는 능력을 함양하는 것에 있다.

수강생이 본 실습을 통하여 다음과 같은 수준에 도달하는 것을 실습의 목표로 한다.

1. 두면부 망진의 평가지표를 설정할 수 있다.

2. 두면부 망진을 통한 주요 특징을 추출하고 해석할 수 있다.

3. 평가지표를 통해 촬영된 두면부 영상을 분류할 수 있다.

4. 분류된 영상에 진단적 의의를 부여할 수 있다.

이상 4항의 정량적 달성 수준은 각 항의 '평가 방법' 란에서 규정한다.

※ 전체 소요 시간 : 4시간

실습 1. 두면부 영상의 촬영과 模式圖 작성

▶ **소요 시간** 60분

▶ **조 편성** 4명을 1조로 함

▶ **준비물**

1. 촬영이 되는 핸드폰 또는 카메라

2. 컴퓨터

3. 24색 이상을 표현할 수 있는 그림 도구

▶ **사전 준비 사항**

1. 컴퓨터를 부팅시킨다.

2. 외부광의 차폐가 잘 이루어지고 있는지 확인한다.

3. 초점거리, 노출시간을 점검한다.

4. 수강생은 안면 촬영 2시간 전부터 화장을 지운다.

▶ **실습 절차**

1. 실습 의의 및 실습 절차 소개

2. 수강생들은 조와 순서를 정한다.

3. 준비물과 사전 준비 사항을 점검한다.

4. 수강생들은 정해진 순서에 따라 안면의 前側後面 영상을 촬영하고 특징적인 부위에 대한 촬영이 필요한 경우 추가로 촬영을 실시한다.

5. 촬영 된 안면 사진을 약속된 적절한 파일명으로 저장한다.

6. 촬영한 얼굴의 특징을 평가지표를 중심으로 模式圖로 나타낸다.

7. 수강생들은 조원들의 안면 사진 파일과 模式圖를 교부받는다.

8. 수강생들은 模式圖를 바탕으로 진단적 의의를 각자 설명한다.

9. 위와 같은 방법으로 다른 조원에 대한 模式圖를 20분 이내에 작성하고 그 특징을 설명한다.

▶ 실습 주의 사항

촬영 시 다음의 경우에는 다시 촬영한다.

1. 외부 광이 들어온 경우

2. 안면에 힘을 너무 주거나 화장이 있는 경우

3. 눈을 감거나 사진이 떨려 사진에 흐려짐(blurring)이 심한 경우

▶ 정량적 달성 목표

수강 인원의 90% 이상이 20분 이내에 촬영된 영상을 바탕으로 模式圖를 작성하고 특징을 설명할 수 있다.

▶ 성취도 평가 방법

교부 받은 사진을 모식도로 잘 표현하고 있는지, 모식도를 통한 특징을 바탕으로 진단적 의의를 잘 설명하고 있는지를 실습보고서를 통해 평가한다.

Chapter 3

망진(전신 및 국소) 슬라이드 관찰 및 체득

학습목표

▶ 이 실습의 목표는 망진에 대한 슬라이드를 통해 望診의 觀形察色을 시행하고 각각의 神色形態를 분석하여 다음과 같은 수준에 도달하는 것을 목표로 한다.

1. 전신 및 국소 망진에 대한 평가 지표를 이해한다.
2. 정상인을 기준으로 대상 슬라이드의 이상 소견을 파악·설명 할 수 있다.
3. 이상 소견을 바탕으로 진단할 수 있는 내용을 유추할 수 있다.
4. 필요한 추가 진찰방법 및 내용을 제시할 수 있다.

이상 4항의 정량적 달성 수준은 각 항의 '평가 방법' 란에서 규정한다.

실습 1. 전신 망진 슬라이드 관찰

▶ **소요 시간** 100분

▶ **조 편성** 조당 6-7명으로 편성을 한다.

▶ **준비물**

1. 컴퓨터 및 프로젝터 - 영상강의시스템
2. 스크린(강의실 조건에 적합한 크기)
3. 슬라이드용 파워포인트 파일(*.ppt, *.pptx) (설명용 1개, 테스트용 1개 분리 제작)
4. 망진사진첩 : 슬라이드 파워포인트 파일을 컬러출력한 사진첩을 1개 조당 3권 이상 제작.
5. 원색 망진 圖譜 : 다양한 출판사의 원색 망진 도보를 부교재로 채택

▶ **사전 준비 사항**

1. 영상강의시스템(컴퓨터, 프로젝터, 스크린 등)을 가동시킨다.
2. 실습실 블라인드 설치가 잘 되어 있는지 확인한다.

▶ **실습 절차**

1. 전체

   1) 실습 의의 및 실습 절차 소개

   2) 슬라이드용 파워포인트 파일을 이용하여 관찰 및 기록 방법 설명

2. 조별(개인별)

   1) 조별로 해당 圖譜를 관찰한다.

   2) 관찰한 후 개인별 관찰소견을 기록한다.

   3) 조별 소견서를 상호 교차 검토한다.

   4) 공통점 및 차이점을 토론 · 기록한다.

▶ **실습 주의 사항**

▶ **대체실습**

영상강의시스템이 없을 경우는 다음과 같은 것으로 대체한다.

1. 환등기 (슬라이드 프로젝터)

2. 망진용 슬라이드 필름

▶ **정량적 달성 목표**

수강생의 90% 이상이 무작위 추출된 슬라이드 사진 5개 중 3개 이상에 대한 이상 소견을 파악하고 이를 바탕으로 추가 진찰의 방법 및 내용을 설명할 수 있다.

▶ **성취도 평가 방법**

1. 조별평가(공동점수부과) - 한 조에 1명씩 무작위 선발 후, 무작위 추출된 슬라이드 사진 5개에 대한 특징 소견을 설명하도록 하여 이를 정량 및 정성적으로 평가한다.

2. 개별평가(개별점수부과) - 슬라이드 관찰 후 개인별 소견서를 실습서 내 보고서에 기록한 후 제출하고 그 충실도 에 따라 개별적으로 평가한다.

실습 2. 국소(頭面, 毛髮, 頸項, 目, 鼻, 口脣, 齒, 咽喉) 망진 슬라이드 관찰

▶ **소요 시간** 100분

▶ **조 편성** 6-7명으로 편성을 한다.

▶ **준비물**

1. 컴퓨터 및 프로젝터 - 영상강의시스템

2. 스크린(강의실 조건에 적합한 크기)

3. 슬라이드용 파워포인트 파일 (설명용 1개, 테스트용 1개 분리 제작)

4. 망진사진첩 : 파워포인트 슬라이드를 컬러로 출력한 사진첩을 1개 조당 3권 이상 제작.

5. 원색 망진 도보 : 다양한 출판사의 원색 망진 도보를 부교재로 채택

▶ **사전 준비 사항**

1. 영상강의시스템(컴퓨터, 액정비젼, 스크린 등)을 가동시킨다.

2. 실습실 블라인드 설치가 잘 되어 있는지 확인한다.

▶ **실습 절차**

1. 전체

   1) 실습 의의 및 실습 절차 소개

   2) 슬라이드용 파워포인트 파일을 이용하여 관찰 및 기록 방법 설명

2. 조별(개인별)

   1) 조별로 해당 圖譜를 관찰한다.

   2) 관찰한 후 개인별 관찰소견을 기록한다.

   3) 조별 소견서를 상호 교차 검토한다.

   4) 공통점 및 차이점을 토론·기록한다.

▶ **실습 주의 사항**

▶ **대체실습**

영상강의시스템이 없을 경우는 다음과 같은 것으로 대체한다.

 1. 환등기 (슬라이드 프로젝터)

 2. 망진용 슬라이드필름

▶ **정량적 달성 목표**

수강생의 90% 이상이 무작위 추출된 슬라이드 사진 5개 중 3개 이상에 대한 이상 소견을 파악하고 이를 바탕으로 추가 진찰의 방법 및 내용을 설명할 수 있다.

▶ **성취도 평가 방법**

1. 조별평가(공동점수부과) - 한 조에 1명씩 무작위 선발 후, 무작위 추출된 슬라이드 사진 5개에 대한 설명을 통해 정량 및 정성적으로 평가한다.

2. 개별평가(개별점수부과) - 슬라이드 관찰 후 개인별 소견서를 실습서 내 보고서에 기록한 후 제출하고 그 충실도에 따라 개별적으로 평가한다.

실습 3. 국소(피부, 조갑, 전후음) 망진 슬라이드 관찰

▶ **소요 시간** 100분

▶ **조 편성** 조당 6-7명으로 편성을 한다.

▶ **준비물**

1. 컴퓨터 및 프로젝터 - 영상강의시스템
2. 스크린(강의실 조건에 적합한 크기)
3. 슬라이드용 파워포인트 파일 (설명용 1개, 테스트용 1개 분리 제작)
4. 망진사진첩 : 파워포인트 슬라이드를 컬러로 출력한 사진첩을 1개 조당 3권 이상 제작.
5. 원색 망진 도보 : 다양한 출판사의 원색 망진 도보를 부교재로 채택

▶ **사전 준비 사항**

1. 영상강의시스템(컴퓨터, 프로젝터, 스크린 등)을 가동시킨다.
2. 실습실 블라인드 설치가 잘 되어 있는지 확인한다.

▶ **실습 절차**

1. 전체
   1) 실습 의의 및 실습 절차 소개
   2) 슬라이드용 파워 포인트 파일을 이용하여 관찰 및 기록 방법 설명
2. 조별(개인별)
   1) 조별로 해당 圖譜를 관찰한다.
   2) 관찰한 후 개인별 관찰소견을 기록한다.
   3) 조별 소견서를 상호 교차 검토한다.
   4) 공통점 및 차이점을 토론·기록한다.

▶ **실습 주의 사항**

▶ **대체 실습**

영상강의시스템이 없을 경우는 다음과 같은 것으로 대체한다.
   1. 환등기 (슬라이드 프로젝터)
   2. 망진용 슬라이드필름

▶ **정량적 달성 목표**

수강생의 90% 이상이 무작위 추출된 슬라이드 사진 5개 중 3개 이상에 대한 이상 소견을 파악하고 이를 바탕으로 추가 진찰의 방법 및 내용을 설명할 수 있다.

▶ **성취도 평가 방법**

1. 조별평가(공동점수부과) - 한 조에 1명씩 무작위 선발 후, 무작위 추출된 슬라이드 사진 5개에 대한 설명을 통해 정량 및 정성적으로 평가한다.
2. 개별평가(개별점수부과) - 슬라이드 관찰 후 개인별 소견서를 실습서 내 보고서에 기록한 후 제출하고 그 충실도에 따라 개별적으로 평가한다.

Chapter 4

혀 영상의 촬영과 분석

학습목표

▶ 이 실습의 목적은 혀 영상을 촬영하고, 설진의 주요 평가지표들에 해당되는 항목들을 추출하고 분석하여, 그 결과에 따라 혀 영상을 분류할 수 있는 능력을 함양하는 것에 있다. 수강생이 본 실습을 통하여 다음과 같은 수준에 도달하는 것을 실습의 목표로 한다.

1. 혀 영상을 촬영하고 저장한다.
2. 설진의 주요 평가지표들을 검출할 수 있다.
3. 평가지표에 따라 혀 영상을 분류할 수 있다.
4. 설질과 설태의 분류에 따른 진단적 의의를 이해하고 설명할 수 있다.

이상 4항의 정량적 달성 수준은 각 항의 '평가 방법' 란에서 규정한다.

실습 1. 혀 영상의 촬영

▶ **소요 시간** 100분

▶ **조 편성** 조를 편성하지 않음

▶ **준비물**

1. 설진기. 외부광에 대한 차폐가 가능하고, 주어진 조명 조건에 따라 촬영이 가능하며, 색상 보정 기능을 내장하고 있는 혀 영상 촬영 및 저장 장치. 예) 대승의료기기 CTS-1000 등.
2. 윈도우 운영체계가 내장된 컴퓨터.

준비물 예: 설진기

▶ **사전 준비 사항**

1. 컴퓨터를 부팅시킨다.
2. 설진기와 컴퓨터를 USB 단자로 연결한다.

3. 설진기 본체의 전원 코드가 올바로 연결되어 있는지 확인하고, 설진기의 전원을 켠다.

4. 컴퓨터에 설진기 장치드라이버가 설치되어 있는지 확인한다.

5. 설진기 조명이 들어오는지 확인한다.

6. 외부광의 차폐가 잘 이루어지고 있는지 확인한다.

7. White balance를 점검한다.

8. 초점거리, 노출시간을 점검한다.

9. 수강생은 혀 촬영 2시간 전부터 염태染苔를 유발시킬 수 있는 식품의 섭취를 제한한다.

10. 수강생은 혀 촬영 4시간 전부터 식사 후 scraper나 칫솔로 설태를 제거하지 않는다.

▶ 실습 절차

1. 실습 의의 및 실습 절차 소개

2. 수강생들은 촬영 순서를 정한다.

3. 혀 사진을 촬영하기 전에 충분히 혀가 묘출될 수 있도록 수강생들은 입을 벌려서 혀를 내미는 연습을 한다. 입을 벌려서 혀를 내밀면서 "아~" 하는 소리를 내면서 혀에 힘을 지나치게 주지 않으면서도 설근부가 충분히 드러나도록 3~4차례 연습을 한다. 이때 수강생들은 서로 설근부가 충분히 드러나는지, 혀가 말리지는 않는지 상호 확인해 준다.

4. 수강생들은 정해진 순서에 따라 한 명씩 혀 사진을 촬영한다. 먼저 혀를 내밀어서 배면부(dorsal surface of tongue)를 촬영하고, 혀를 좌우로 돌려서 양쪽 측면부를 촬영하고, 혀를 들어서 설하정맥을 촬영하여, 총 4장의 혀 영상을 촬영한다.

5. 촬영된 혀 사진을 저장한다.

6. 수강생들은 자신의 혀 사진 파일을 교부받는다.

▶ 실습 주의 사항

촬영 시 다음의 경우에는 다시 촬영한다.

1. 외부 광이 들어온 경우

2. 혀에 힘을 너무 주어 혀가 충혈된 경우

3. 혀가 말려서 설첨부가 잘 보이지 않는 경우

4. 혀 사진이 떨려 사진에 흐려짐(blurring)이 심한 경우

▶ 대체 실습

설진기가 없는 경우, 다음과 같은 조건에서 혀 영상을 촬영한다.

1. 암실이나 암실 환경에서 촬영한다.

2. 태양광에 가까운 인공조명 조건하에서 촬영한다. 태양광에 가까운 인공조명을 구현하기 어려운 경우에는 촬영 전에 미리 white balance를 최대한 맞추어 색을 보정한 상태에서 촬영한다.

3. VGA급 이상의 해상도를 가지는 카메라를 이용하여 촬영한다.

▶ 성취도 평가 방법

교부 받은 자신의 혀 사진 파일들 중에서 배면부 사진을 컬러프린터로 출력하여 실습보고서에 부착했는지 여부로 평가한다.

실습 2. 설태의 색

▶ **소요 시간** 100분

▶ **조 편성** 2명 1조로 진행

▶ **준비물**

1. 컴퓨터. 조별 1대 이상. 운영체계 Windows XP 이상.

2. Bitmap 이미지 편집 소프트웨어. 예) Corel Paintshop pro, Adobe Photoshop 등

3. 색 모델 변환 소프트웨어. 예) Logicol OpenRGB 등

4. Spread sheet 소프트웨어. 예) MS Excel 등

5. 자, 필기구, 풀

▶ **사전 준비 사항**

1. 컴퓨터를 부팅시킨다.

2. 컴퓨터에 bitmap 이미지 편집 소프트웨어와 색 모델 변환 소프트웨어를 설치해둔다.

3. 3차원 차트를 그릴 수 있는 spread sheet 소프트웨어를 설치해둔다.

▶ **실습 절차**

1. 실습 의의 및 실습 절차 소개

2. 조 편성

3. 수강생은 각자 실습할 컴퓨터에 교부받은 자신의 혀 배면부 사진 파일을 복사한다.

4. 혀 배면부 사진 파일을 bitmap 이미지 편집 소프트웨어를 이용하여 열고, 설근舌根 부위에 설태가 가장 많은 것을 확인한다. 설태의 색을 평가하기 위해, 설태가 가장 많은 설근부위에서 영역을 선택하여 평균 RGB 색 값을 얻는다.

5. 선택한 영역을 실습보고서에 표시하고, 얻은 RGB 색값을 실습보고서에 기록한다.

6. 색 모델 변환 소프트웨어를 이용하여, RGB 색값을 CIE-L*ab 컬러 모델값으로 변환한다.

7. 변환된 컬러 모델 값들을 각각 실습보고서에 기록한다.

8. Spread sheet 소프트웨어를 이용하여 RGB, CIE-L*ab 컬러모델별로 색의 좌표 값을 표시한 3차원 색공간 차트를 만든다.

9. RGB, CIE-L*ab 컬러모델별로 작성된 3차원 색공간 차트를 프린터로 출력하여 실습보고서를 부착한다.

▶ **실습 주의 사항**

분석할 설태의 영역을 선택할 때, 열문裂紋 부분이 포함되지 않도록 주의한다.

▶ **대체 실습**

프린터가 충분히 구비되지 않은 경우, spread sheet 소프트웨어를 이용하여 3차원 차트를 작성하지 않고, RGB, CIE-L*ab 컬러모델별로 실습보고서에 그려서 작성할 수 있다.

▶ **정량적 달성 목표**

수강 인원의 95% 이상에 대해서 자신의 설태 색 값을 3차원 차트 상에 좌표로 표시할 수 있다.

▶ **성취도 평가 방법**

실습보고서에 선택한 영역을 표시하고, 자신의 설태 색 값을 3차원 차트 상에 기록했는지 여부로 평가한다.

실습 3. 설질의 색

▶ **소요 시간** 100분

▶ **조 편성** 2명 1조로 진행

▶ **준비물**

1. 컴퓨터. 조별 1대 이상. 운영체계 Windows XP 이상.
2. Bitmap 이미지 편집 소프트웨어. 예) Corel Paintshop pro, Adobe Photoshop 등
3. 색 모델 변환 소프트웨어. 예) Logicol OpenRGB 등
4. Spread sheet 소프트웨어. 예) MS Excel 등
5. 자, 필기구, 풀

▶ **사전 준비 사항**

1. 컴퓨터를 부팅시킨다.
2. 컴퓨터에 bitmap 이미지 편집 소프트웨어와 색 모델 변환 소프트웨어를 설치해둔다.
3. 3차원 차트를 그릴 수 있는 spread sheet 소프트웨어를 설치해둔다.

▶ **실습 절차**

1. 실습 의의 및 실습 절차 소개
2. 조 편성
3. 수강생은 각자 실습할 컴퓨터에 교부받은 자신의 혀 사진 파일 4개를 복사한다.
4. 혀 배면부 사진 파일을 bitmap 이미지 편집 소프트웨어를 이용하여 열고, 설첨舌尖 부위에 설태가 거의 없는 것을 확인한다. 설질의 색을 평가하기 위해, 설태가 거의 없는 설첨부위에서 영역을 선택하여 평균 RGB 색값을 얻는다.
5. 혀의 양쪽 측면 사진 파일을 열고, 설태가 거의 없는 혀의 배면부 측면에서 영역을 선택하여 평균 RGB 색값을 얻는다.
6. 선택한 영역을 실습보고서에 표시하고, 얻은 RGB 색값을 실습보고서에 기록한다.
7. 색 모델 변환 소프트웨어를 이용하여, RGB 색값을 CIE-L*ab 컬러 모델값으로 변환한다.
8. 변환된 컬러 모델값들을 각각 실습보고서에 기록한다.
9. Spread sheet 소프트웨어를 이용하여 RGB, CIE-L*ab 컬러모델별로 색의 좌표값을 표시한 3차원 색공간 차트를 만든다.
10. RGB, CIE-L*ab 컬러모델별로 작성된 3차원 색공간 차트를 프린터로 출력하여 실습보고서를 부착한다.

▶ **실습 주의 사항**

분석할 설질의 영역을 선택할 때, 다음과 같은 사항을 주의하여야 한다.

1. 설태가 덮혀있는 부분이 분석영역에 포함되지 않도록 주의한다.

2. 지도상(地圖狀) 설태를 가지는 경우, 설태 탈락부위를 설질 분석영역에 포함되지 않도록 주의한다.

3. 눈을 감거나 사진이 떨려 사진에 흐려짐(blurring)이 심한 경우

▶ **대체 실습**

프린터가 충분히 구비되지 않은 경우, spread sheet 소프트웨어를 이용하여 3차원 차트를 작성하지 않고, RGB, CIE-L*ab 컬러모델별로 실습보고서에 그려서 작성할 수 있다.

▶ **정량적 달성 목표**

수강 인원의 95% 이상에 대해서 자신의 설질 색 값을 3차원 차트 상에 좌표로 표시할 수 있다.

▶ **성취도 평가 방법**

실습보고서에 선택한 영역을 표시하고, 자신의 설질 색 값을 3차원 차트 상에 기록했는지 여부로 평가한다.

실습 4. 설질과 설태의 색 평가

▶ **소요 시간** 100분

▶ **조 편성** 조를 편성하지 않음

▶ **준비물**

1. 컴퓨터, 프로젝터, 스크린, 암막
2. 평가표
3. 필기구

▶ **사전 준비 사항**

1. 컴퓨터를 부팅시키고, 프로젝터에 전원을 켜서 스크린에 투사가 잘 되는지 확인한다.
2. 수강생 인원수에 맞추어 평가표를 준비해 둔다.
3. 실습실에 조명을 끄고 암막을 쳐서, 암실이 잘 만들어지는지 확인한다.
4. 앞에서 촬영된 혀의 배면부 사진들 중에서 잘 촬영된 30개 이상을 선정하여 슬라이드를 만들어둔다.

▶ **실습 절차**

1. 실습 의의 및 실습 절차 소개
2. 수강생들에게 주의사항들을 전달한다.
3. 수강생들에게 평가표를 배부한다.
4. 평가항목들을 설명한다.
5. 준비된 혀 배면부 사진들을 프로젝터를 통해 순차적으로 미리 보여준다.
6. 혀 배면부 사진들을 프로젝터를 통해 순차적으로 한 번 더 보여준다. 이때 보여주는 시간은 한 사진당 1분 내외로 한다.
7. 수강생들은 각각의 혀 배면부 사진들을 보면서 평가표에 해당 혀 배면부 사진이 설질과 설태의 분류(舌質: 淡白色舌, 淡紅色舌, 紅色舌, 絳舌, 靑紫色舌, 藍色舌, 黑色舌, 其他; 舌苔: 白苔, 微黃苔, 黃苔, 灰苔, 黑苔, 其他)상 어디에 속하는지 기록한다.
8. 10분 휴식 후 선정된 사진들을 순서만 달리하여 다시 한 번 설질과 설태의 분류상 어디에 속하는지 평가표에 기록한다.

▶ **실습 주의 사항**

1. 수강생 중 다음과 같은 사항이 있는 경우, 분석에서 제외한다.
   1) 색각 이상인 경우
   2) 색상이 들어간 안경을 착용하고 있는 경우
2. 슬라이드 평가 시 실습생들 상호간에 협의할 수 없도록 사전에 주의시킨다.

▶ **대체 실습**

없음.

▶ **정량적 달성 목표**

수강 인원의 95% 이상이 평가표를 작성한다.

▶ **성취도 평가 방법**

평가표의 모든 항목을 평가하여 기재하였는지, 동일한 사진에 대하여 얼마나 동일한 평가를 하였는지 여부로 평가한다.

실습 5. 설질과 설태의 색 분류

▶ **소요 시간** 100분

▶ **조 편성** 2명 1조로 진행

▶ **준비물**

1. 컴퓨터. 조별 1대 이상. 운영체계 Windows XP 이상.
2. Spread sheet 소프트웨어. 예) MS Excel 등

▶ **사전 준비 사항**

1. 컴퓨터를 부팅시킨다.
2. 3차원 차트를 그릴 수 있는 spread sheet 소프트웨어를 설치해둔다.
3. 수강생들이 전시간에 작성한 평가표와 실습보고서 CIE-L*ab 색공간의 좌표값 자료들을 spread sheet 소프트웨어에 입력해 둔다.

▶ **실습 절차**

1. 실습 의의 및 실습 절차 소개
2. 조 편성
3. 입력해둔 평가표 데이터를 배부한다.
4. Spread sheet 소프트웨어를 이용하여 설질과 설태의 색에 따른 분류(舌質: 淡白色舌, 淡紅色舌, 紅色舌, 絳舌, 青紫色舌, 藍色舌, 黑色舌, 其他; 舌苔: 白苔, 微黃苔, 黃苔, 灰苔, 黑苔, 其他)에 따라 각 분류별로 CIE-L*ab 색공상의 좌표값들의 평균을 계산한다. 즉, 淡白色舌로 분류된 사진들의 설질 L*, a*, b* 값에 대한 평균, 淡紅色舌로 분류된 사진들의 설질 L*, a*, b* 값에 대한 평균, ……, 黑苔로 분류된 사진들의 설태 L*, a*, b* 값에 대한 평균을 각각 계산한다.
5. Spread sheet 소프트웨어를 이용하여 설질과 설태의 색 분류에 따른 평균값을 CIE-L*ab 컬러모델 색공간 차트에 표시한다.
6. 자신의 설질과 설태 CIE-L*ab 값과 분류별 평균 설질과 설태 CIE-L*ab 값 사이의 색차를 계산한다. 예를 들어, 수강생 자신의 설질 L*, a*, b* 값을 Lst*, ast*, bst*라고 하고, 평균 설질 L*, a*, b* 값을 Lmt*, amt*, bmt*, 자신의 설질값과 평균 설질값 사이의 색차를 ΔEs-m라고 했을 때,
7. 수강생 자신의 설질 CIE-L*ab 색값과 淡白色舌 평균 CIE-L*ab 색값 사이의 색차, 설질 CIE-L*ab 색값과 微紅色舌 평균 CIE-L*ab 색값 사이의 색차, ……, 설질 CIE-L*ab 색값과 黑色舌 평균 CIE-L*ab 색값 사이의 색차를 각각 구하여, 색차가 가장 작은 분류에 자신의 설질을 분류하고 실습보고서에 기록한다.
8. 수강생 자신의 설태 CIE-L*ab 색값과 白苔 평균 CIE-L*ab 색값 사이의 색차, 설태 CIE-L*ab 색값과 微黃苔 평균 CIE-L*ab 색값 사이의 색차, ……, 설태 CIE-L*ab 색값과 黑苔 평균 CIE-L*ab 색값 사이의 색차를 각각 구하여, 색차가 가장 작은 분류에 자신의 설태를 분류하고 실습보고서에 기록한다.

▶ **실습 주의 사항**

없음.

▶ **대체 실습**

없음.

▶ **정량적 달성 목표**

수강 인원의 95% 이상이 측정된 자기 혀의 색 값과 혀의 분류별 평균 색 값 사이의 색차를 계산하고, 이를 기준으로 자신의 설질과 설태를 분류할 수 있다.

▶ **성취도 평가 방법**

실습보고서에 측정된 자기 혀의 색 값과 혀의 분류별 평균 색 값 사이의 색차를 계산하여 기록하고, 자신의 설질과 설태를 분류하였는지 여부로 평가한다.

실습 6. 설진기 종합평가

▶ **소요 시간** 100분

▶ **조 편성** 2명 1조로 진행

▶ **준비물**

1. 컴퓨터. 조별 1대 이상. 운영체계 Windows XP 이상.
2. Bitmap 이미지 편집 소프트웨어. 예) Corel Paintshop Pro, Adobe Photoshop 등
3. 색 모델 변환 소프트웨어. 예) Logicol OpenRGB 등
4. Spread sheet 소프트웨어. 예) MS Excel 등
5. 평가용 혀 사진 [단일 색상으로 되어 있는 일러스트레이션 이미지]
6. 설질과 설태 분류별 평균 CIE-L*ab 값

▶ **사전 준비 사항**

1. 컴퓨터를 부팅시킨다.
2. 컴퓨터에 bitmap 이미지 편집 소프트웨어와 색 모델 변환 소프트웨어를 설치해둔다.
3. 3차원 차트를 그릴 수 있는 spread sheet 소프트웨어를 설치해둔다.
4. 평가용 혀 이미지 파일을 수강생용 컴퓨터에 copy해 둔다.

▶ **실습 절차**

1. 평가기준과 절차 소개
2. 조 편성
3. 설질과 설태 분류별 평균 CIE-L*ab 값을 제시한다.
4. 수강생은 평가용 혀 이미지 파일로부터 설질 영역의 RGB값을 추출한다.
5. 설질 영역의 RGB값을 CIE-L*ab값으로 변환한다.
6. 평가용 혀 이미지의 설질 CIE-L*ab와 설질 평균 CIE-L*ab값 사이의 색차를 계산한다.
7. 색차를 기준으로 평가용 혀 이미지의 설질을 분류한다.
8. 평가용 혀 이미지 파일로부터 설태 영역의 RGB값을 추출한다.
9. 설태 영역의 RGB값을 CIE-L*ab값으로 변환한다.
10. 평가용 혀 이미지의 설태 CIE-L*ab와 설태 평균 CIE-L*ab값 사이의 색차를 계산한다.
11. 색차를 기준으로 평가용 혀 이미지의 설태를 분류한다.

▶ **실습 주의 사항**

없음.

▶ **대체 실습**

없음.

▶ **정량적 달성 목표**

수강 인원의 95% 이상이 평가용 혀 이미지의 색과 혀의 분류별 평균 색간의 색차를 계산하고, 이를 기준으로 평가용 혀 이미지의 설질과 설태를 분류할 수 있다.

▶ **성취도 평가 방법**

1. 실습보고서에 평가용 혀 이미지의 CIE-L*ab 색값을 정확하게 계산하고 기록하였는지 여부로 평가한다.
2. 실습보고서에 평가용 혀 이미지의 색 값과 혀의 분류별 평균 색 값 사이의 색차를 정확하게 계산하고 기록하였는지 여부로 평가한다.
3. 실습보고서에 평가용 혀 이미지의 색 값과 혀의 분류별 평균 색 값 사이의 색차를 기준으로 평가용 혀 이미지의 설질과 설태를 정확하게 분류할 수 있는지 여부로 평가한다.

Chapter 5

초음파 영상의 촬영과 분석

학습목표

▶ 이 실습의 목적은 器機望診 중 초음파장비를 이용하여 망진 영상을 촬영하고, 器機望診의 주요 평가지표들에 해당되는 항목들을 추출 분석하여, 그 결과에 따라 영상 분류 능력을 함양 하는 것에 있다. 수강생이 본 실습을 통하여 다음과 같은 수준에 도달하는 것을 실습의 목표로 한다.

1. 초음파 영상을 촬영하고 저장한다.
2. 器機望診의 주요 평가지표들을 검출할 수 있다.
3. 평가지표에 따라 영상을 분류할 수 있다.
4. 분류에 따른 진단적 의의를 이해한다.

이상 4항의 정량적 달성 수준은 각 항의 '평가 방법' 란에서 규정한다.

※ 전체 소요 시간: 조당 6시간

실습 1. 복부의 초음파 영상 촬영과 분석

▶ **소요 시간** 120분

▶ **조 편성** 8인 1조

▶ **준비물**

1. 초음파 진단기기(convex prove)
2. 실습용 침대, 외광차단이 가능한 암실
3. 초음파 젤

▶ **사전 준비 사항**

1. 초음파 진단기기를 기동한다.
2. 외부광의 차폐를 확인한다.
3. 젤의 양이 실습에 충분한지 확인한다.
4. 선택된 prove의 형태가 convex type인지 확인한다.
5. 초음파 진단기기의 Gain(수신강도) 및 TGC(시간-수신음 강도보상) 및 DR(동적영역) 등이 적절한지 확인한다.

6. 상복부 피검자는 공복을 유지하여야 한다.

7. 하복부 피검자는 방광에 소변을 충만시켜야 한다.

▶ **실습 절차**

1. 실습 의의 및 실습 절차를 소개한다.

2. 피검자들은 실습 순서를 정한다.

3. 피검자과 실습자는 장비제원에 대한 실습교수의 설명을 숙지한다.

4. 각 장기별 측정방법을 실습교수로부터 숙지한다.

5. 2인 1조로 피검자와 실습자의 역할을 분담하고 교대로 실시한다.

    1) 초음파 젤을 prove나 측정하고자 하는 부위에 충분히 바른다.

    2) 적절한 각도로 도자를 체표에 접촉한다

    3) 각 장기에 따라 정해진 스캐닝 방법을 적용한다: 예 - 간의 경우 (1)심와부(epigastrium)에서 간 좌엽을 종단스캔(longitudinal scan)한다. (2) 심와부에서 간 좌엽을 횡단 스캔(transverse scan)한다. (3) 심와부에서 우측 갈비뼈 가장자리(costal margin)까지 연속적으로 늑골궁하 스캔(subcostal scan)한다. (4) 오른쪽 늑간 스캔(right intercostal scan)을 한다.

6. 실습으로 획득된 영상 중 적합하게 묘출된 영상을 인쇄하여 실습생들에게 교부한다.

7. 실습생들은 각자의 영상파일을 보관한다.

▶ **실습 주의 사항**

실습 시 다음의 경우에는 다시 촬영한다.

1. 공복이 아닌 경우

2. 방광에 소변이 충만하지 않은 경우

3. 생리중인 경우

▶ **정량적 달성 목표**

수강 인원의 95% 이상이 자신의 초음파 영상을 얻는다.

▶ **성취도 평가 방법**

교부받은 자신의 초음파영상 인쇄물과 파일을 실습보고서에 재현하고, 각 landmark의 정확한 해부학적 명칭 기입 여부로 평가한다.

실습 2. 맥관의 초음파 영상 촬영과 분석

▶ **소요 시간** 120분

▶ **조 편성** 8명 1조

▶ **준비물**

1. 초음파 진단기기(linear prove)
2. 실습용 침대, 외광차단이 가능한 암실
3. 초음파 젤

▶ **사전 준비 사항**

1. 초음파 진단기기를 기동한다.
2. 외부광의 차폐를 확인한다.
3. 젤의 양이 실습에 충분한지 확인한다.
4. 선택된 prove의 형태가 convex type인지 확인한다.
5. 초음파 진단기기의 Gain(수신강도) 및 TGC(시간-수신음 강도보상) 및 DR(동적영역) 등이 적절한지 확인한다.

▶ **실습 절차**

1. 실습 의의 및 실습 절차 소개한다.
2. 피검자들은 실습 순서를 정한다.
3. 피검자과 실습자는 장비제원에 대한 실습교수의 설명을 숙지한다.
4. 맥관의 상태, 맥파, 혈류속도 측정방법을 실습교수로부터 숙지한다.
5. 2인 1조로 피검자와 실습자의 역할을 분담하고 교대로 실시한다.
6. 실습 중 획득된 영상 중 적합하게 묘출된 영상을 인쇄하여 실습생들에게 교부한다.
7. 실습생들은 각자의 영상파일을 보관한다.

▶ **실습 주의 사항**

실습 시 다음의 경우에는 다시 촬영한다.
1. 측정가압이 일정하지 않은 경우
2. 약물(카페인, 알콜 및 기타 약물) 복용 중인 경우
3. 충분한 휴식을 취하지 못한 경우

▶ **정량적 달성 목표**

수강 인원의 95% 이상에 대해서 각자 자신의 초음파 영상을 얻는다.

▶ **성취도 평가 방법**

교부 받은 자신의 초음파 영상 인쇄물과 파일을 실습보고서에 재현하고, 각 landmark의 정확한 해부학적 명칭 기입 여부로 평가한다.

실습 3. 골, 근, 건의 초음파 영상 촬영과 분석

▶ **소요 시간** 120분

▶ **조 편성** 8명 1조

▶ **준비물**

1. 초음파 진단기기(linear prove)
2. 실습용 침대, 외광차단이 가능한 암실
3. 초음파 젤

▶ **사전 준비 사항**

1. 초음파 진단기기를 기동한다.
2. 외부광의 차폐를 확인한다.
3. 젤의 양이 실습에 충분한지 확인한다.
4. 선택된 prove의 형태가 convex type인지 확인한다.
5. 초음파 진단기기의 Gain(수신강도) 및 TGC(시간-수신음 강도보상) 및 DR(동적영역) 등이 적절한지 확인한다.

▶ **실습 절차**

1. 실습 의의 및 실습 절차 소개한다.
2. 피검자들은 실습 순서를 정한다.
3. 피검자과 실습자는 장비제원에 대한 설명을 숙지한다.
4. 골, 근, 건의 측정방법을 실습교수로부터 숙지한다.
5. 2인 1조로 피검자와 실습자의 역할을 분담하고 교대로 실시한다.
6. 실습 중 획득된 영상 중 적합하게 묘출된 영상을 인쇄하여 실습생들에게 교부한다.
7. 실습생들은 각자의 영상파일을 보관한다.

▶ **실습 주의 사항**

실습 시 다음의 경우에는 다시 촬영한다.
1. 측정가압이 일정하지 않은 경우
2. 실습부위에 cast를 한 경우

▶ **정량적 달성 목표**

수강 인원의 95% 이상에 대해서 각자 자신의 초음파 영상을 얻는다.

▶ **성취도 평가 방법**

교부 받은 자신의 초음파영상 인쇄물과 파일을 실습보고서에 재현하고, 각 landmark의 정확한 해부학적 명칭 기입 여부로 평가한다.

문진聞診과
문진問診

Chapter 6

문진 聞診 / 학습내용 요약

학습목표

▶ 청각과 후각을 통하여 한의학적 진단 정보를 얻을 수 있는 기본 시각을 설명하고, 환자로부터 발생되는 여러 가지 소리와 냄새 등의 변화를 관찰하는 방법과 문진을 통하여 변증을 임상에서 원활히 수행할 수 있는 기본 능력을 배양한다.

▶ **문진聞診** 문진은 환자로부터 소리, 냄새 등을 통해 진단 정보를 수집하는 행위. 망진望診, 문진問診, 절진切診과 함께 한의 진단 방법의 4대 범주 가운데 하나

▶ **문진의 의의** 사진四診에서 문진이 차지하는 비중은 크지 않으나 인간의 오감 중 청각과 후각, 미각의 3개 감각 영역을 활용하여 망진, 문진問診, 절진의 미비점을 보완하는 데 그 의의가 있음

▶ **청진의 원리** 인체 구성 요소의 운동은 반드시 주변 조직의 진동을 수반하며 이 가운데 일부는 소리로서 청취되어 음원이 되는 조직 기관의 진단 정보를 제공. 특히 폐, 장위腸胃의 운동과 발성 기관의 활동이 한의의 문진과 관련이 큼

▶ **후진의 원리** ☞ 인체의 배설물, 분비물과 각종 대사산물은 휘발되거나 호기로 배출되면서 갖가지 냄새를 방출함. 이 냄새를 평가하여 배설, 분비와 관련된 인체 기능을 진단하고 비정상적인 대사가 이루어지는지 확인

▶ 문진의 내용(범위)

청진과 후진 문진에는 소리를 이용한 진단인 청진聽診 내지는 성음진단聲音診斷과 냄새를 이용한 진단인 후진嗅診이 포함됨

맛의 진단 문진에는 원칙적으로 미각을 이용한 진단도 포함되나 현실적으로 적용이 어려워 부차적인 수단으로만 취급됨. 향후 기기진단을 통한 새로운 접근이 필요한 분야임

1 성음聲音의 문진

▶ **발성 기관** 『황제내경』은 발성과 관계된 기관으로 후롱喉=기관, 회염會厭=후두덮개, 현옹수懸雍垂=목젖, 혀[舌]와 횡골橫骨=설골 및 입술[口脣] 등을 제시함(☞ 『黃帝內經·靈樞·憂恚無言』).

▶ **발성의 임상적 의의** 발성은 전신적인 기력의 성쇠와 호흡 활동 및 정신 활동의 정상 유무를 나타내며 진액의 고갈을 반영하기도 함. 오장 가운데 폐肺, 심心과 관계가 크며 외감병에서도 발성의 변동은 사기의 성질과 기혈진액의 상태를 알려주고 질병의 경중 및 허실에 대한 진단 단서를 제공

▶ **언어의 이상**

　섬어譫語 보통 열병에서 의식저하와 함께 나타나는 두서없는 언어 표출. 단, 높은 소리이며 힘이 있음. 심의 열담熱痰에서 나타날 수 있으며 외감병의 경우에는 양명리실증陽明裏實證 및 열입심포증熱入心包證에서 흔히 나타남

　정성鄭聲 질병 말기, 위중한 상황에서 의식저하와 함께 나타나는 단편적인 언어 분절의 되풀이. 힘이 없고 끊어졌다 다시 이어지곤 함. 망음亡陰, 망양亡陽의 표현

　자어自語 혼자 중얼거리는 말. 음적陰的인 정신적 문제인 전癲이나 울증鬱症에서 나타남. 심기허손心氣虛損 또는 기체氣滯, 담탁痰濁을 지시

　착어錯語 광狂과 같은 양적인 정신 장애에서 보이는 언어의 착잡錯雜. 심기의 허손이 심한 상황이나 기체氣滯, 혈어血瘀, 담습痰濕을 지시

▶ **호흡의 이상과 기침**

　해수咳嗽 기침. 고인들은 체내 진액의 상황을 중시하여 기도 배출물이 적을 때는 해咳, 많을 때는 수嗽로 기침을 세분하여 지칭하였음

　천喘 호흡곤란. 헐떡거림. 호흡이 곤란하여 흉곽 운동이 커지므로 어깨를 들썩거리는 모습으로 나타남. 나타나는 형태와 동작과의 연관에 따라 허실을 구분

　효哮 가래 섞인 소리를 동반한 호흡 곤란 증상. 표한表寒 또는 수음水飮의 표현

　소기少氣 호흡의 힘이 없음. 흔히 낮고 미약한 목소리[語聲低微]를 동반. 기허증과 양허증의 주요 증상

　단기短氣 호흡 빈도의 증가와 함께 호기와 흡기 사이가 자주 끊어지는 현상. 허증에서는 기허氣虛의 표현, 실증에서는 수음水飮의 표현

　상기上氣 호흡 빈도의 증가와 함께 호기가 과장되는 현상. 폐의 담음이나 신불납기증腎不納氣證, 폐신음허증肺腎陰虛證 등에서 보임

　태식太息 한숨. 탄식. 간의 기체氣滯를 나타내는 지표

▶ **구토, 애기噯氣 및 애역噯逆**

　구토, 애기, 애역의 공통적 의의 구토, 애기, 애역은 위기상역胃氣上逆의 표현

구토嘔吐 음식물을 게움. 고인들은 구역질에 수반되는 소리와 토출물의 여부에 따라 일반적인 구토 현상을 구嘔, 소리 없이 게우는 것을 토吐, 소리만을 동반한 구역질을 건구乾嘔로 구분. 구토의 세기와 동반되는 소리의 강약, 토출물의 청탁에 따라 실열, 허한을 구분.

애기噯氣 트림. 위의 식적[食滯胃脘]에서 흔하며 정서와 상관성이 있는 경우에는 간기범위증肝氣犯胃證, 식욕부진과 함께 트림 소리가 낮고 힘이 없는 경우에는 위기허증胃氣虛證의 표현일 수 있음.

애역呃逆 딸꾹질. 발생 빈도와 소리의 세기에 따라 허한증, 실열증을 구분. 오랜 병에서 나타날 경우는 위기胃氣의 허손虛損이 심함을 나타내는 지표.

▶ **장명**腸鳴 위장관의 액체, 기체 이동에 의해 발생하는 소리

장명의 변증 ① 완복부의 장명, 주머니의 물 소리와 유사, 이동성 → 위의 담음痰飮 ② 꼬르륵 소리, 따뜻하게 하거나 식사를 하면 감소 → 중기허약 ③ 강한 장명음, 완복비만脘腹痞滿, 설사를 동반 → 습濕 또는 풍·한의 실증

▶ **계치**齘齒**와 소아제곡**小兒啼哭

계치 수면 중 이를 가는 증상. 『금궤요략』의 용례에 따라 내풍內風이나 경련성 질병에서 나타나는 이 갈기 증상도 지칭하는 경우가 있음. 위열胃熱, 충적蟲積, 기혈양허氣血兩虛에 의한 경우가 많으며 풍한風寒에 의한 외감병에서도 나타날 수 있음.

소아제곡 유소아가 울음을 그치지 않는 것. 야간에 나타날 경우 야제夜啼로 지칭. 비양허脾陽虛, 열요심신熱擾心神, 경공상신驚恐傷神 등의 증형이 있음.

② 기미氣味의 문진

▶ **병체**病體**의 냄새**

확인할 항목 냄새를 통해 확인해야 할 환자의 정보는 땀 냄새를 비롯한 전신적 체취와 구취 및 호흡에 수반된 호기(날숨)의 냄새 등임

땀 냄새 외감병 표증의 발한에서는 흔히 무취. 외감병 기분氣分 단계의 실열증과 오래 지속된 내상잡병의 음허화왕증陰虛火旺證의 경우 땀 냄새가 시큼하거나 썩은 듯한 냄새를 나타냄. 오래된 비증痺症에서도 황한黃汗과 함께 땀 냄새가 심해질 수 있음. 음증의 수종[陰水]에서 암모니아 냄새가 날 경우 위중한 징후

기타의 체취 외과·피부과적 문제(각종 궤양·누공) 및 비뇨생식기의 문제에서 체취가 심해질 수 있음

코의 호기 냄새 첫째 비연鼻淵, 비구鼻鼽 등 콧물의 증가나 부비동에서의 콧물의 적체에 의한 냄새, 둘째 매독·암 등에 의한 비강 궤양에 수반되는 냄새, 셋째 소갈 등 내과적 질환에 의한 호기의 냄새가 있음

▶ **구기**口氣 **입 냄새**

구기의 진단 ① 일반적인 구강 악취 → 위열증胃熱證에서 많음. 단순한 충치[齲齒] 또는 구강 불결 상황에서도 있을 수

있음. ② 시큼한 냄새 또는 쉰 밥의 냄새 → 위胃의 숙식宿食 ③ 썩은 듯한 냄새 → 아감牙疳 또는 내옹內癰

▶ **배출물의 냄새**

일반 경향　열, 습열 → 냄새가 강함. 한, 한습 → 냄새가 없음

구토물의 냄새　① 심한 악취 → 위열胃熱 ② 시큼한 냄새와 함께 소화되지 않은 음식물이 보임 → 식체, 숙식宿食 ③ 비린내와 함께 농혈膿血을 동반 → 위옹胃癰 ④ 냄새가 약하거나 무취, 맑은 토출물을 동반 → 비위脾胃의 한증寒證

트림의 냄새　① 썩은 듯한 냄새 → 위열胃熱 또는 숙식宿食이 화열化熱된 경우 ② 냄새가 없음 → 간기범위증肝氣犯胃證 또는 위한증胃寒證

소변의 냄새　① 노린내, 진하고 탁한 편 → 실열증 ② 맑고 양이 많음, 냄새가 심하지 않음 → 허증·한증

대변의 냄새　① 심한 악취, 무른 대변 또는 농혈이 섞인 대변 → 대장습열증大腸濕熱證 ② 대변에 시큼한 냄새와 함께 소화되지 않은 음식물이 관찰될 경우(소아) → 식적食積 ③ 비린내가 섞이고 물똥이 나옴 → 비위의 허한증虛寒證

방귀의 냄새　① 달걀 썩는 냄새 → 폭음폭식, 장에 대변이 오래 머무른 경우[宿屎內停] ② 소리만 나고 냄새는 심하지 않음. 지속적 → 간기울결, 대장의 기기불창氣機不暢

월경혈의 냄새　① 냄새가 강함 → 열증 ② 비릿한 냄새가 섞임 → 한증

대하의 냄새　① 냄새가 강하고 대하의 색이 누런 경우 → 습열 ② 비릿한 냄새가 있고 색이 흰 편 → 한습

③ 문진의 객관화 연구 성과

▶ **변증에 대한 성음 진단의 응용**　폐의 문제에 대한 변증에서 소리의 분석이 유용하다는 것이 입증되어 왔음

목소리　폐결핵 환자의 변증에 있어서 음성 분석(성문 분석)만으로 관찰 대상이 된 음허증, 기허증, 기음양허증을 모두 변별할 수는 없었음. 그러나 대조군과 기허군, 음허군과 기음양허군은 상호 변별이 가능하였으며 특히 대조군과 기음양허군은 음성이 큰 변별력을 보임.

기침 소리　폐의 기허, 음허와 기타 실증에 대한 구별에서, 고조파[倍音] 갯수, 최대주파수, 진폭, 공진주파수, 잡음성분 갯수를 인자로 한 회귀식이 기침 소리에 대해 88.9%의 판별일치율을 보임. 또한 음성(80.0%)보다 기침 소리의 판별일치율이 더 높았음.

이상의 음성과 기침에 대한 폐의 병증 연구에서 모두 실증군은 구별하지 않고 통합하여 성문을 분석. 이는 폐의 실증에서 목소리나 기침 소리의 차이가 크지 않음을 시사.

목소리의 성별 진단율　담痰과 관계된 증으로 변증된 부비동염 환자에 대한 음성 분석에서 남성 환자들은 진단 부합률이 91.5%던 반면 여성의 경우에는 66.7%로 큰 차이를 보임. 음성 분석에서 성차에 주의해야 함을 시사.

장명음　건강인에 대한 대승기탕(대황, 후박, 지실, 망초) 투여시 소장의 연동운동 항진을 나타내는 장명음 파라미터가 전반적으로 상승, 지각 및 시호 투여시 특히 장명음 진폭이 커짐을 보고. 한의의 치료가 위장관에 어떠한 영향을 미치는가를 평가해 볼 수 있는 측정 인자로 장명음이 사용될 수 있음을 시사.

▶ **후진 연구 성과**

구취와 설태의 관계 구취에 관한 연구에서 지도설과의 연관을 제시. 통념과 달리 황후태와의 연관은 분명하지 않음.

구취와 위열증의 연관 종래에는 구취의 대표적인 증형으로 위열증을 꼽았으나 구취의 임상연구 문헌을 집계한 최근의 연구에서는 습열내온과 비위습열이 각종 논문에서 가장 많이 제시된 증형이었으며 위화치성은 빈도에 있어 3위에 해당하는 것으로 나타남.

〉〉 참고문헌

1. 王曉崗, 顔文明. 肺結核病III型病人語聲咳聲分析. 湖南中醫學院學報. 1997. 17(04):33-36

2. 莫新民, 蔡光先, 張建麗, 李利斌, 蔣俊和. 中醫聲診客觀化的臨床實驗研究. 中國中醫基礎醫學雜誌. 1998. 4(5):37-43

3. 田在善 等. 篇名未詳. 天津醫藥. 1979(4) - 晨曦. 聞診研究簡介. 湖南中醫學院學報. 1990. 10(4):248-250에서 재인용

4. 孫紅艶. 口臭中醫證治相應關係的研究. 世界中西醫結合雜誌. 2014. 9(2):126-129

Chapter 7

문진 問診 / 학습내용 요약

학습목표

▶ 환자의 병력 청취를 통하여 한의학적 진단 정보를 얻을 수 있는 기본 시각을 설명하고, 환자 또는 그 보호자에게 질병의 발생 과정과 발전, 치료 경과와 현재의 증상 및 기타 질병과 연관된 여러 정황을 이해하도록 설명하는 방법과 문진을 통하여 변증을 임상에서 원활히 수행할 기본 능력을 배양한다.

▶ **문진問診이란** 의사가 환자 혹은 보호자에게 질병의 발생, 발전, 치료경과, 현재 증상, 기타 질병과 관련된 여러 가지 정황을 물어봄으로써 질병을 진찰하는 방법.

▶ **문진의 내용** ① 일반적 정황 ② 주소증主訴症 ③ 현병력 ④ 기왕력 ⑤ 가족력 ⑥ 생활습관

1 문진의 의의와 원칙

▶ **문진의 의의**

진단의 정보원과 문진 과거력, 자각증상, 평소 건강상태, 가족력에 대해 가장 잘 아는 사람은 환자 자신이므로 환자에게 직접 물어보는 것이 최선의 방법

특히 중요시되는 영역 자각증상 위주의 질병, 정서적 요인이 주된 질병에서 문진이 더욱 중요시됨

미병 未病 기존 검사상 특별한 이상이 없으나 환자는 여러 자각증상을 호소함

▶ **문진의 한계** 본인의 의사표현에 어려움이 있는 경우

☞ ① 의식불명 ② 치매, 정신병 환자 ③ 영유아 및 소아

극복 방법 ① 증상(symptoms)보다 징후(signs) 위주로 진찰 ② 환자 수준에 맞는 질문 방법 개발

▶ **문진시 주의사항** (의사 입장에서)

추구해야 할 것 ① 주소증 확인 ② 체계적인 질문 ③ 전체적인 접근을 병행 ④ 성실한 자세 ⑤ 환자 수준에 맞는 평이한 용어 사용 ⑥ 의사의 자신감

피해야 할 것 ① 의사의 주관성, 암시, 강요 ② 정서적으로 좋지 못한 자극 ③ 의사의 권위, 비굴

2 일반항목의 문진

▶ **기재 사항**

① 이름 ② 나이 ③ 성별 ④ 직업 ⑤ 거주지 ⑥ 결혼여부. 필요에 따라서는 학력이 중요시 됨

▶ **나이**

① 노화에 의한 정기精氣 다소 여부 판별

② 특정 질환은 연령과 연관성이 높음

영유아 태열胎熱, 외감外感, 상식傷食, 경증驚症 빈발

청장년 기혈충만으로 인한 실증이 상대적으로 많음

중장년 및 노년 기혈허쇠로 인한 허증이 상대적으로 많음

▶ **성별**

남성 유정, 양위 등

여성 경經, 대帶, 태胎, 산産에 관련된 질환

▶ **직업**

블루칼라 관련 직종 ☞ 근골격계 질환, 허증

화이트칼라 관련 직종 ☞ 내상칠정

특정 직업에 국한된 질환 ☞ 광부의 진폐증, 인쇄공의 연중독鉛中毒 등

▶ **거주지**

재래식 가옥 / 일반주택, 아파트

기후적 특성 고려

▶ **결혼 관련 사항**

성관계

2세 계획 / 육아문제

처가, 혹은 시댁과의 갈등

③ 주소主訴와 병력病歷의 문진

▶ **주소증主訴症**

　정의 환자가 가장 고통스러움을 느끼는 증상, 방문하게 된 이유

　☞ 환자의 주된 문제점과 질병의 특성, 부위를 파악. 예1) 음식무미飲食無味 / 애기噯氣 예2) 오한발열惡寒發熱

　주소증 청취시 함께 파악해야 할 내용 ① 과거 내원 기록도 중요 ☞ 초발/재발여부, 과거 질환과의 인과관계 등 파악

　② 주소증 발병 동기 ③ 주소증 발생 후 경과시간 ④ 주소증 발생 후 경과

▶ **현병력現病歷**

　정의 주소증과 관련된 여러 현상과 의학적 개입의 이력을 연대기적인 순서로 기술.

　기재 사항 ① 주소증과 연관이 높은 증상, 연관이 낮은 증상 모두 포괄하여 기재 ② 주소증 발생과의 인과관계 ☞ 현병

　력이 먼저 발생 / 주소증이 먼저 발생 / 동시 발생 ③ 현증상의 경과 과정

　주소증, 현병력 공통 기재 사항 치료 및 호전 여부

　☞ 타 병원 진료기록 참조. 예) 열증에 청열제 복용 후 악화 / 창만증脹滿症에 이기약理氣藥 복용 후 악화 / 경행과다經行

　過多에 보기혈제補氣血劑 복용 후 악화

　주의사항 ① 각종 현증상과 주소증 사이의 연관성 분석 ② 필요시 특정 병력에 대해 구체적으로 질문 ③ 주소와 연관

　성이 적은 병력에 대해서는 적절히 생략하여 기재 ④ 징후와 현병력간 관계 분석

▶ **기왕력旣往歷**

　정의 과거의 건강상태 및 과거에 앓았던 질환

　주소증, 현병력과의 인과관계 ① 특정 증형이 다양한 증상으로 나타남 ② 외상, 수술, 생활습관으로 인해 기왕력은 주

　소증, 현병력과 인과관계를 가짐

▶ **가족력家族歷**

　정의 부모, 형제, 자매, 자녀들의 건강상태 및 과거에 앓았던 질환

　흔히 기재하는 가족력 유전질환 / 고혈압, 당뇨병, 중풍 등 성인병 / 정신질환 / 전염병

　기타 가족적 요인을 고려해야 할 부분 체질 / 식습관 / 가족내 갈등

▶ **생활습관**

　식습관 ① 식사의 규칙성 ② 음식에 대한 희온喜溫, 희냉喜冷 경향 ③ 스트레스와의 관련성 ④ 음식의 종류와 기호 ☞

　육식 · 채식 / 유제품 / 기호식품 / 건강보조식품 / 음주 ⑤ 흡연

　운동습관 ① 종류 ② 빈도 ③ 강도 ④ 운동 후 반응

　수면습관 ① 수면시간 및 수면시각 ② 수면 중 특징 ③ 기상시 반응 ④ 숙면 여부(가위눌림, 잠꼬대, 천면 등)

　생활습관과 질병의 호전, 악화여부 ① 무엇을 하면 질병이 호전되는가? ② 무엇을 하면 질병이 악화되는가?

현재 증상의 문진

▶ **현증상 문진의 순서**

주소증 관련 사항 주소증과 가장 뚜렷한 병리적 관계를 가진 사항부터 문진을 시작. 예) 두통의 경우 부위, 발생시간, 두통 발생과 연관된 사항이 있는지를 확인

기타 증상의 양상 증상의 발생 부위, 성질, 정도, 유인誘因, 발생시간을 확인

주요 문진 항목의 확인 음식, 수면, 대소변 등

▶ **주요 확인 증상**

십문가 +問歌 한열寒熱, 한汗, 두신頭身, 대소변[二便], 음식飮食, 흉복胸腹, 청력[聾], 갈증[渴], 구병舊病, 원인[因](청대 진수원의 『의학실재이醫學實在易』에 의함)

기타 주요 질문 사항 ① 복약 후 반응 ② 부인과 증상: 경기經期의 지연·속속과 월경의 폐폐·붕붕 등 ③ 소아과 증상 및 질병: 천화天花, 마진痲疹 등

▶ **한열寒熱의 문진**

오한발열惡寒發熱 오한과 발열이 동시에 나타남 ☞ 외감풍한外感風寒(상한傷寒, 상풍傷風), 외감풍열外感風熱, 태양부증太陽腑證, 상식증傷食症, 옹저증癰疽症. 증상 감별진단이 중요

단한불열但寒不熱 오한증만 나타남 ☞ 외감직중外感直中, 내상허한증內傷虛寒證

단열불한但熱不寒 발열증만 나타남 ① 장열壯熱 : 고열, 한출汗出이 특징 ☞ 상한양명증傷寒陽明證 → 양명경陽明經, 양명부陽明腑 감별 필요 ② 조열潮熱 : 일정한 시각에 나타났다 사라지는 열 ☞ 양명조열陽明潮熱(일포조열日晡潮熱), 음허조열陰虛潮熱, 습온조열濕溫潮熱 ③ 장기저열長期低熱 : 지속적인 미열 ☞ 음허증(허로虛勞), 기허(노권勞倦, 음화陰火), 주하병注夏病

한열왕래寒熱往來 오한과 발열이 교대로 나타남 ① 소양증少陽證 ☞ 반표반리증半表半裏證. 구고口苦, 인건咽乾, 목현目眩, 흉협고만胸脇苦滿, 불욕음식不欲飮食, 현맥弦脈이 나타남 ② 학질瘧疾 ☞ 하루 한번, 혹은 2~3일에 한번 오한, 발열이 나타남

목증木證 소양증少陽證에 해당. 소양증에서 나타나는 전형적인 한열왕래가 아닌 다양한 오한, 발열 증상이 나타남.

▶ **한汗의 문진**

땀[汗] 양기에 의해 증화蒸化된 진액이 현부玄府(땀구멍)를 통해 체표로 배출된 것. 한출여부, 한출 강도, 지속 시간, 부위를 확인.

표증表證의 땀

① 표증무한表證無汗 ☞ 오한심惡寒甚, 발열경發熱輕, 두항강통, 맥부긴脈浮緊

② 표증유한 ☞ 외감 상풍 → 오풍, 맥부완; 외감 풍열 → 발열심, 오한경, 두통, 인통, 맥부삭脈浮數

이증裏證의 땀

① 자한自汗 ☞ 특별한 활동을 하지 않아도, 혹은 조금만 움직여도 땀이 남. i) 기허자한氣虛自汗: 신체곤권身體困倦, 쉽게 피로함[易疲勞], 음식 맛이 없음[飮食無味] ii) 양명경증자한陽明經證自汗(갈근탕증): 두통, 구갈, 오열惡熱

② 도한盜汗 ☞ 수면 중 땀이 나는 증상 ☞ 음허도한陰虛盜汗 조열潮熱, 권홍면적顴紅面赤

③ 대한[大汗出] 다량의 땀 i) 양명경증 한출汗出(실증, 백호탕증): 발열심發熱甚, 면적面赤, 구갈인음口渴飲冷, 맥홍대脈洪大

④ 냉한冷汗 (허증, 망양증) 끈적끈적하고 차가운 땀. 면색창백面色蒼白, 사지궐랭四肢厥冷, 맥미욕절脈微欲絶

⑤ 전한戰汗 오한전율惡寒戰慄하면서 땀이 남. 질병의 회복, 혹은 악화의 전환점에서 나타남 ☞ i) 병의 회복 - 전한戰汗 후에 발열이 소실되면서 맥완만脈緩慢 ii) 병의 진행 - 전한[戰汗]후 발열이 심해지면서 맥이 급急·질疾하게 됨

⑥ 국소 한출증

두한頭汗 i) 상초열 두한[上焦熱頭汗] - 주로 두부頭部에 국한하여 땀이 남. 상초의 사열邪熱이 양경陽經을 따라 두면頭面으로 상증上蒸. 면적面赤, 심번心煩, 구갈口渴, 설첨홍舌尖紅, 맥삭脈數 ii) 습온 두한[濕溫頭汗] - 중초의 습열濕熱이 양경을 따라 두면으로 상증. 頭身困重, 身熱, 脘腹脹悶, 舌苔黃膩. iii) 진한가열 두한[眞寒假熱頭汗] - 중증에서 정기精氣가 고갈되어 진액이 허양虛陽을 따라 부월浮越. 사지궐냉四肢厥冷, 기천氣喘, 미맥[脈微]

반신한[半身汗出] 몸의 좌우 한쪽에만 땀이 나는 증상. 중풍, 척수손상, 자율신경실조.

수족심한[手足心汗] 손바닥, 발바닥에서 땀이 나는 증상. 음허증, 중초습열증에서 다발

▶ 머리[頭]의 문진

두부의 중요성 머리는 제양지회諸陽之會이자 정명지부精明之府. 뇌는 수의 바다[髓之海].

내상·외감에서의 증상 발생 기전 ① 외감: 외사外邪가 양분陽分인 두부를 침범하여 경락이 울체, 불창. ② 내상: 장부 허쇠臟腑虛衰로 청양清陽이 상승하지 못하거나, 신정腎精이 부족하여 수해髓海가 충만充滿되지 못함.

두통頭痛

① 부위별 구분

전두통前頭痛 ☞ 양명경 두통. 미릉골 부위 통증 포함

측두통側頭痛(편두통) ☞ 소양경 두통. 측두부에서 태양혈에 이르는 부위의 통증

후두통後頭痛 ☞ 태양경 두통. 후두부에서 경항부에 이르는 부위의 통증

전전통巓頂痛 ☞ 궐음경 두통

두치통頭齒痛 ☞ 소음경 두통. 두통과 함께 치통이 나타남. 신장은 골을 주관하여 수髓를 만들어 내는데[腎主骨生髓], 신허 腎虛하여 수髓와 골骨이 위치한 두부, 치아가 모두 아픔

* 부위별 두통과 근막통증증후군(MPS)

② 표리表裏에 따른 구분

외감두통外感頭痛 ☞ 병정이 급하고 짧음. 통증이 심한 지속적인 두통. i) 풍한두통風寒頭痛: 경항통이 함께 존재. 바람 이나 냉기에 노출되면 두통 심해짐. ii) 풍열두통風熱頭痛: 목적目赤, 면홍面紅, 구갈口渴, 인후통咽喉痛이 병발. 온열 자 극이 있을 때 두통 심해짐. 풍습두통風濕頭痛: 머리에 무엇을 뒤집어 쓴 듯하고[頭痛如裹], 사지가 무겁다[肢體困重].

내상두통內傷頭痛 ☞ 병정이 완만하고 오래됨. 두통이 심하지 않으며 나타났다 없어졌다[時痛時止]를 되풀이함. i) 기허 두통氣虛頭痛: 두통이 은은히 지속되며 과로 후 심해짐 ii) 혈허두통血虛頭痛: 현훈眩暈, 면색창백面色蒼白을 동반함 iii) 신 허두통腎虛頭痛: 머리에 공허한 느낌[頭腦空虛感]이 있으며, 허리와 무릎이 시큰거리고 힘이 없음[腰膝酸軟]

두훈頭暈 환자가 두부의 회전감을 느낌. 오심, 구토, 훈도暈倒 증상 병발이 많음.

진성 현훈의 감별: 눈을 감으면 현훈이 멈추는가? 아니면 눈을 감아도 여전히 어지러운가?

① 간양상항肝陽上亢: 두훈頭暈, 두창頭脹, 면적面赤, 이명耳鳴, 구고口苦, 인건咽乾

② 담습痰濕: 머리가 혼탁함[頭暈沈昏]. 흉민胸悶, 오심, 가래가 생김

③ 기혈양허氣血兩虛: 안화증眼花症 출현, 기립시 발현, 면색창백面色蒼白, 심계心悸

④ 신정부족腎精不足: 이명耳鳴, 유정遺精, 건망, 요슬산연腰膝酸軟

▶ 전신(사지와 체간부)의 문진

개요 ① 사지·체간과 경락의 관계를 파악: 십이경락의 순행부위, 배수혈·복모혈 및 경락과 장부의 관계를 고려. ② 장부와 전신의 관계를 파악(특히 내상內傷, 허증虛證의 경우): 비주사말脾主四末, 비주기육脾主肌肉; 신주골腎主骨, 허리와 신의 연계[腰者, 腎之府]; 간주근肝主筋; 폐주피모肺主皮毛; 심주혈맥心主血脈 등을 고려 ③ 육음六淫과 인체의 관계를 파악(특히 외감外感, 실증實證의 경우): 육경, 위기영혈 등 병사의 소재 파악. 전경傳經, 직중直中 등의 병사의 전이 상황을 파악. 비증痺症의 변증에서도 중요.

신통身痛 전신이 아픈 통증 ① 외감의 경우 풍한風寒이나 서습역독暑濕疫毒(陽毒)에 기인. 면적面赤하며 반斑이 나타나기도 하고 얻어맞은 것처럼 아픔 ② 내상의 경우 노권상勞倦傷이나 오랜 와병 생활에 기인

신중身重 몸이 무거움 ① 습濕: 두신곤중頭身困重, 완복창민脘腹脹悶, 이태膩苔, 납매納呆, 변당便溏 등의 증상이 나타남 ② 비기허脾氣虛: 신중身重, 기와嗜臥, 소기少氣, 나언懶言, 권태핍력倦怠乏力 등의 증상이 나타남

사지통四肢痛 비증痺症의 범주 ① 행비行痺: 여기저기 아픈 증상. 관절의 유주찬통遊走竄痛 ② 통비痛痺: 심한 통증. 찬 기운에 접촉했을 때 통증 심해짐 ③ 착비着痺: 고정된 통증 ④ 열비熱痺: 풍습이 울체鬱滯하여 열로 화함. 관절이 붉게 붓고 아픔[紅腫疼痛]

요통腰痛 ① 신허요통腎虛腰痛: 지속적인 통증[綿綿腰痛], 허리와 무릎이 시큰거리고 힘이 없음[腰膝酸軟無力] ② 한습요통寒濕腰痛: 허리가 무겁고 시리며 아픔[腰部沈重冷痛]. 비오는 날이나 습한 환경에서 심해짐 ③ 습열요통濕熱腰痛: 허리가 빠지는 느낌, 부푸는 느낌[沈脹]과 함께 열감熱感이 있음. 소변이 진하고, 홍설紅舌이며 이태膩苔, 맥은 삭맥數脈. 평소 음주, 기름진 음식[高粱厚味]을 즐기는 경우에 많음. ④ 어혈요통瘀血腰痛: 고정된 위치의 자통刺痛. 몸을 돌리거나 굽히고 펴기가 어려움. 외상(타박상, 낙상 등)에 대한 기왕력 확인

▶ 흉부의 문진

흉비胸痺 흉부에 통증과 답답함이 있으며[胸痛鬱悶] 통증이 견비肩臂로도 방사되는 것. 흉양부진胸陽不振, 담탁내조痰濁內阻 혹은 기허혈어氣虛血瘀에 의한 심맥心脈의 기혈운행불리氣血運行不利. ※ 허혈성 심장 질환에 해당.

진심통眞心痛 흉통이 심하고 등 쪽으로도 통증이 미치며[胸背徹痛]하고 얼굴이 청회색靑灰色. 푸른 빛이 사지말단에 이름. 오늘날의 심근경색에 해당.

흉통胸痛 다음과 같은 증형이 대표적임 ① 폐실열증肺實熱證(外感風熱犯肺): 고열[壯熱], 얼굴이 붉음面赤, 숨이 가쁘고 비익선동鼻翼煽動(코가 막혀 콧구멍이 벌렁거림)이 보임 ② 폐음허증肺陰虛證(虛火灼傷肺絡): 조열潮熱, 도한盜汗이 있으며 가래를 뱉을 때 피가 섞임[咳痰帶血] ③ 담습조폐증痰濕阻肺證(脾虛生濕生痰): 가슴이 답답하고 가침과 함께 다량의 흰 가래가 있음 ④ 기체증氣滯證(情志鬱結): 찬통竄痛, 흉부의 팽창감[脹], 한숨을 자주 쉬고[太息] 화를 잘 냄[易怒] ⑤ 혈어증血瘀證(外傷으로 인한 瘀血): 통증의 위치가 고정되어 있으며 자통刺痛. 이 밖에 흉통은 ⑥ 폐옹肺癰의 주요 증상이기도 함 ☞ 신열身熱, 비린내 나는 농혈담膿血痰.

흉비胸痞 가슴이 그득하고 명치에 막힌 느낌이 있으나 통증은 없음. 한, 열, 허, 담의 4개 증형으로 구분 ① 한비寒痞 흉부가 차다[胸冷], 기침에 포말이 섞임[咳吐涎沫], 지맥遲脈 ② 열비熱痞 번갈煩渴, 삭맥數脈 ③ 허비虛痞 소기少氣, 호흡이 편하지 않음[呼吸不暢], 맥이 약하고 한숨을 자주 쉼[善太息] ④ 담비痰痞 가래가 많고 맥은 활맥滑脈

▶ **협부의 문진**

협통脇痛 협륵부의 통증 ① 간기울결肝氣鬱結(정지불창情志不暢에 기인): 협통이 창통脹痛의 양상으로 나타남. 한숨[太息]을 자주 쉬고 화를 내는 일이 많음[易怒] ② 간화肝火: 협통이 작통灼痛의 양상으로 나타남. 얼굴과 눈이 붉음[面紅目赤] ③ 간담습열肝膽濕熱: 협통이 창통脹痛의 양상으로 나타나면서 눈과 피부가 노랗게 됨[身目發黃] ④ 혈어血瘀: 협통이 자통刺痛의 양상으로 나타나며 통증 부위가 이동하지 않음 ⑤ 수음水飮의 정체(현음懸飮): 협륵부에 무엇인가 차 있는 느낌[脇間飽滿]. 기침이 있고, 기침할 때마나 협륵부에 견인감('땅기는' 느낌)을 동반한 통증이 나타남.

▶ **복부의 문진**

복부의 부위 구분 ① 대복大腹: 배꼽 위 ☞ 비위脾胃를 반영 ② 소복小腹: 배꼽 아래 ☞ 대장, 소장, 방광, 자궁을 반영 ③ 소복少腹: 소복小腹의 양측 ☞ 간경肝經과 연관

복통의 개략적 진단 ① 복통이 갑작스레 나타났으며 극렬함. 배를 누르면 편치 않음[拒按], 음식물 섭취 후 악화 ☞ 대개 실증實證 ② 복통이 점진적으로 출현하였으며 둔통. 배를 누르면 편한 느낌[喜按], 음식물 섭취 후 완화 ☞ 대개 허증虛證 ③ 배를 따뜻하게 하면 통증이 감소 ☞ 대개 한증寒證 ④ 시원하게 하면 편함 ☞ 대개 열증熱證

복통의 변증 ① 비위허한脾胃虛寒: 상복부의 둔통[大腹隱痛], 희온喜溫, 희안喜按, 변이 무름 ② 방광기화불리膀胱氣化不利: 소복小腹의 창통脹痛, 배뇨가 원활하지 않고 심하면 융폐癃閉 ③ 하초어혈下焦瘀血(膀胱蓄血): 소복小腹의 자통刺痛, 배뇨에는 이상 없음[小便自利]. ④ 한체간맥寒滯肝脈: 소복少腹의 냉통冷痛, 음부의 견인감 ⑤ 충적蟲積: 배꼽 주위의 복통(요제통요臍痛), 덩어리가 있고 종종 이동함 ⑥ 장옹腸癰: 우하복부의 동통, 거안拒按

위완통胃脘痛**의 감별** ① 한사범위寒邪犯胃: 냉통冷痛 양상. 배를 따뜻하게 하면 통증이 감소 ② 위화치성胃火熾盛: 작열통灼熱痛 양상. 식욕 항진[消穀善飢], 구취, 변비 동반 ③ 위부혈어胃腑血瘀: 통증 부위가 고정된 자통刺痛 양상 ④ 위부기체胃腑氣滯 · 간기범위肝氣犯胃: 창통脹痛 양상. 트림[噯氣] 동반, 화를 냈거나 기분이 침울할 때 증상이 가중 ⑤ 위양허胃陽虛: 둔통[隱痛], 희온喜溫, 희안喜按. 맑은 물을 게우기도 함 ⑥ 위음허胃陰虛: 작통灼痛 양상. 상복부의 불편감(조잡嘈雜), 공복감이 있으나 먹으려 하지 않음[飢而不欲食], 설홍舌紅, 소태少苔

▶ **이목**耳目**의 문진**

이목과 관련된 경락 간경, 담경, 신경, 삼초경

이명耳鳴 귀울림 ① 실증: 갑자기 큰소리가 나며, 손으로 누르면 더욱 심해진다 ☞ 간, 담, 삼초의 화火가 경맥을 따라 상행하여 발생 ② 허증: 점진적으로 나타남. 그 소리가 크지 않으며, 손으로 누르면 경감됨 ☞ 신정부족腎精不足 ③ 기타: 비습脾濕이 성하여 청양淸陽이 상승하지 못함 → 관규가 자양을 받지 못함[淸竅失養] → 이명 발생

이롱耳聾 청력 저하 ① 실증: 치료가 상대적으로 쉬움. i) 상한의 이롱 ☞ 사기邪氣가 소양경 경기를 폐색 ii) 온병의 이롱: 사열邪熱이 관규를 막아 음정陰精이 귀에 도달하지 못함 iii) 기타 외감풍온外感風溫이나 코막힘에 동반된 경우 등 ② 허증: 치료가 더 어려움. i) 병을 오래 앓았거나 중병인 자 ☞ 심기허心氣虛, 신정부족[腎虛精脫] ii) 노인 ☞ 기허정쇠氣虛精衰

중청重聽 소리가 겹쳐 들림. 풍風, 신경腎經의 열, 하원휴허下元虧虛

목통目痛 ① 간담의 풍화風火: 동공이 산대되고 혼탁함. 청, 녹, 황색 등이 나타남. 두통, 오심, 구토를 동반. 오풍내장五風內障 ② 외감풍열外感風熱: 눈이 붉게 부어 아픔. 쉽게 눈이 부시고 눈물이 잘 나오며 눈꼽이 많이 낌. 천행적안天行赤眼

목현目眩 눈 앞이 일시적으로 캄캄해지는 것. ① 신음허 + 간양상항: 목현 증상에 두훈頭暈, 두창頭脹을 동반. 얼굴이 붉음, 귀울림이 나타남, 허리와 무릎이 시큰거리고 힘이 없음 ② 담痰: 목현 증상에 두훈, 흉민胸悶 증상을 동반. 몸에 힘이

없고 사지에 감각이 떨어짐[體倦肢麻], 구역질이 남

목혼目昏 눈이 침침함. 오랜 병을 앓은 환자나 허증 환자, 노인에게 다발 ☞ 기허氣虛, 간혈허肝血虛, 신정부족腎精不足 등

작맹雀盲 야간의 시력 저하(밤 눈이 어두움). 간기肝氣의 부족

▶ 음식飮食, 구미口味의 문진

식욕의 추이와 비위의 기능 ① 식욕 호전, 식사량 증가: 위기胃氣 회복, 예후 양호 ② 식욕 감퇴, 식사량 감소: 위기胃氣 쇠퇴, 예후 불량 ③ 제중除中: 오랜 병이나 중병 중에 돌연 폭식을 하며 아무리 먹어도 배부름을 느끼지 못하는 것 ☞ 비위脾胃의 기氣가 끊어지려는 것

구갈다음口渴多飮 ① 갈증이 심하고 찬 물을 원하며, 면적面赤, 고열壯熱, 번조煩躁, 다한多汗의 증상과 맥이 홍대洪大 ☞ 실열증實熱證 ② 갈증이 심하고 소변 증가, 체중 감소가 있으며 식욕은 정상 ☞ 소갈消渴, 신음腎陰의 휴손虧損 ③ 갈증이 심하고 음수 증가. 심한 발한, 토하吐下, 이뇨 후에 출현 ☞ 진액이 손상된 것을 만회하려는 것 ※ i) 갈증이 없음[口不渴] ☞ 진액이 손상되지 않은 상태 / 한증寒證이거나 열사熱邪가 없는 경우 ii) 갈증이 있고[口渴], 소량의 더운 물을 원함. 오한惡寒, 맥침지脈沈遲 ☞ 한증寒證 iii) 갈증이 있고 다량의 물을 마심 ☞ 진액이 크게 손상된 상태

구갈불다음口渴不多飮 ① 입이 건조하나 물을 마시려 하지 않고[口乾而不欲飮], 조열潮熱, 도한盜汗, 권홍顴紅 동반: 음허로 진액이 부족하여 입을 적시지 못하므로 입 안이 건조, 체내에서 실열에 의한 진액 모손 현상이 없으므로 물을 마시려 하지는 않음 ② 갈증이 있으나 물을 많이 마시지는 않고[口渴而不多飮], 신중身重, 신열불양身熱不揚(열이 분명하지 않고 손으로 누르고 있으면 은근히 열이 느껴짐), 흉민胸悶, 이태膩苔가 나타남: 습열증濕熱證. 진액 기화 장애가 있어 갈증이 나타나지만 내부에 습사가 있으므로 많이 마시지는 않음 ③ 갈증이 있되 더운 물을 원하고 음수량은 많지 않고 물을 마시면 토함. 현훈과 복부 진수음振水音 동반: 담음痰飮. 담음내정痰飮內停하여 양陽을 손상시키고, 진액이 기氣로 화하여 입을 적시는 데 장애가 생겨 갈증이 있으면서 더운 물을 원함. 진액이 부족한 것이 아니라 진액 수송의 장애이기에 음수량이 적음. 담음이 위에 정체하여 위의 화강和降이 장애를 받으므로 물을 마시면 토함 ④ 입이 건조하여 물을 머금되 삼키지 못하며 설질이 청하고 어반瘀斑이 있으며 맥은 삽澁함: 혈어증血瘀證. 어혈로 인해 진액이 기로 화하지 못하여 입이 건조. 이 또한 진액부족이 아니라 진액 수포 장애로서 물을 머금지만 삼키지 못함

식욕감퇴食慾減退 ① 식사량 감소와 함께 몸이 마르고[消瘦] 힘이 없으며[乏力] 배가 빵빵하고[腹脹] 변이 무른[便溏] 증상이 보이며 혀는 담백설, 맥은 허맥인 경우: 비위의 기허[脾胃氣虛] ② 완복부가 답답하고[脘悶] 머리와 전신이 무겁게 느껴지며[頭身困重], 변은 무르고[便溏] 설태는 이태膩苔인 경우: 습이 비에 정체[濕邪困脾] ③ 식사량이 줄고 특히 기름기 많은 음식을 싫어하며 황달, 협통이 나타나고 체표를 지그시 눌렀을 때 발열이 감지되는[身熱不揚] 경우: 간담습열肝膽濕熱(습열온결濕熱蘊結로 간의 소설기능이 실조되어 비의 운화기능 실조를 초래) ④ 음식을 싫어하고 신 물이 올라오거나 음식물 냄새가 나는 트림을 하고 완복부에 창통脹痛이 있으며 부태腐苔가 두텁게 형성된 경우: 식적食積이 체내에 정체 ⑤ 부녀의 월경이 그치고 음식을 싫어하며 구역질을 하고 맥이 활삭滑數한 경우: 임신오조姙娠惡阻. 임신으로 충맥衝脈의 기가 상역上逆하고 위의 화강和降 기능이 상실된 경우.

식욕항진[消穀善飢] ① 자주 배가 고프며 갈증이 있고[口渴] 심번心煩, 구취口臭, 변비便秘를 동반하며 홍설紅舌에 황태黃苔가 보이는 경우: 위화치성胃火熾盛 ② 자주 배가 고프며 변이 무르거나 설사를 하는 경우: 위기는 항진되어 있고 비기는 허한 경우[胃强脾弱]

공복감이 있으나 먹으려 하지 않는 경우[飢不欲食] ① 굶주렸으나 음식을 먹으려 하지 않고 복부에 막연한 불쾌감이 잔존[嘈雜]. 복부에 작열감이 있고 홍설紅舌에 소태少苔, 맥은 세삭細數: 위음부족胃陰不足 ② 소아가 생쌀이나 진흙을 먹으며 몸이 마르고, 복부의 창통이 있고 배꼽 주위에 덩어리가 잡힘: 충적蟲積 ③ 임부가 신 것을 좋아하게 되고 구역질이 종

종 생기며 맥이 활삭滑數: 임신에 의한 생리적 현상

구미口味의 감별 ① 구담무미口淡無味: 비위脾胃의 기허氣虛 ② 구감口甘 또는 구중점니口中粘膩: 비위습열脾胃濕熱 ③ 구고口苦: 열증熱證. 특히 담열증膽熱證 ④ 구함口鹹: 신腎의 문제, 한증寒證 ⑤ 신 물이 넘어옴[口中泛酸]: 간위온열肝胃蘊熱 또는 간기범위肝氣犯胃 ⑥ 입 안에서 시큼하고 쉰 음식의 느낌이 남[口中酸餿]: 상식傷食

▶ **대변의 문진**

변비 대변이 굳어 잘 배출되지 않으며 배변횟수가 줄어들어 심할 경우에는 수일간 변을 보지 못하는 것. 실열實熱, 한寒, 음허陰虛, 기음양허氣陰兩虛 등에 기인

설사 대변이 묽어서 일정한 형태를 갖추지 못하며 배변횟수가 많아지는 것. 비허脾虛, 신양허腎陽虛, 상식傷食, 간비불화[肝鬱乘脾] 등에 기인

완곡불화完穀不化 대변 중에 비교적 많은 양의 소화되지 않은 음식물이 섞여 있는 것. 비허脾虛와 신허腎虛의 설사에서 출현

당결부조溏結不調 대변이 건조할 때도 있고 묽을 때도 있는 것. 간비불화肝脾不和에서 나타남

항문작열肛門灼熱 배변시 항문부에 작열감이 있는 것. 대장습열大腸濕熱

배변불쾌排便不快 배변시 복통이 있으면서 변이 순조롭게 나오지 않는 것. 간비불화肝脾不和나 대장습열大腸濕熱에 의해 발생

이급후중裏急後重 복통이 있으며 설사하고자 하되 항문부위가 무지근하고 배설감이 상쾌하지 않은 것. 습열濕熱

활설불금滑泄不禁 대변이 아무런 제약도 받지 않은 채 쏟아져 나오는 것. 오랜 설사를 앓은 후에 나타날 수 있음. 비신양허脾腎陽虛

항문기추肛門氣墜 항문이 처지는 느낌이 들고 심하면 탈항. 중기하함中氣下陷

▶ **소변의 문진**

요량증가 허한증虛寒證, 소갈消渴

요량감소 실열증實熱證, 진액손상津液損傷

소변빈삭小便頻數 배뇨횟수가 늘어난 것. 임증淋症, 신허腎虛, 방광허한膀胱虛寒. 노인에게 다발

융폐癃閉 배뇨상태가 원활하지 못하여 소변이 물방울처럼 떨어지는 것이 융癃이며 소변이 전혀 통하지 않는 것이 폐閉. 실증과 허증을 감별하여 치료

소변삽통小便澁痛 소변이 원활하게 배출되지 않으면서 요의급박尿意急迫, 동통, 작열감 등을 수반

여력부진餘瀝不盡 배뇨 후에도 소변이 찔끔찔끔 떨어지는 것. 노인에게서 흔함

소변실금小便失禁 배뇨를 자의로 조절하지 못하여 소변이 흘러나오는 것

유뇨遺尿 수면 중에 환자 자신도 모르게 배뇨하는 것

▶ **수면 상황의 문진**

수면과 위기衛氣 낮에는 위기가 양의 부위로 행하므로 양기가 성해서 깨어있으며, 밤에는 위기가 음의 부위로 행하므로 음기가 성해져 잠을 자게 됨

실면失眠(不寐) ① 쉽게 잠들지 못하고 심번心煩, 다몽多夢, 조열潮熱, 도한盜汗, 요슬산연腰膝痠軟이 동반되는 경우 ☞ 심신불교心腎不交, 신음허腎陰虛, 심화항성心火亢盛 ② 잠든 후에 쉽게 깨어나고 심계心悸, 납식감소[納少], 핍력乏力, 설담舌淡, 맥

허맥虛의 증상·소견이 보일 경우 ☞ 심비양허心脾兩虛 ③ 때때로 잠에서 깨어나며 평소 겁이 많고 현훈眩暈, 흉민胸悶, 심번心煩, 구고口苦, 오심惡心의 증상이 동반될 경우 ☞ 담울담요膽鬱痰擾 ④ 숙면을 취하지 못하고 잠자리가 편치 않으며 배가 더부룩하고[腹脹不舒], 트림[噯氣]을 자주 하며 가슴이 답답하고[胸悶] 설태가 후니厚膩한 경우 ☞ 식상비위食傷脾胃

기면嗜眠(多眠) ① 피곤하여 쉽게 잠에 빠지고, 머리가 맑지 못하고 눈이 침침하며[頭目昏沈], 몸이 무겁고[身重] 배가 답답하며[脘悶], 이태膩苔와 유맥濡脈이 나타남 ☞ 담습곤비痰濕困脾 ② 식사 후 피곤함이 느껴지고 잠이 오며, 전신적 쇠약과 함께 식사량의 감소[食少納呆], 소기少氣, 핍력乏力의 증상이 있음 ☞ 비기허脾氣虛 ③ 피곤하여 쉽게 잠에 빠지고, 쇠약감이 심함, 정신이 몽롱, 손발이 차고 미맥微脈 ☞ 심신양허心腎陽虛 ④ 혼수상태, 섬어譫語, 야간에 열이 심함, 때로 반진斑疹이 생김, 강설絳舌과 삭맥數脈이 나타남 ☞ 온병의 사기가 심포心包에 침범

▶ **부인에 대한 문진[問婦女] 1 - 월경[經]의 문진**

정상월경 초조연령初潮年齡이 12~15세, 주기가 28일 전후, 지속기간이 3~5일이고, 적색을 띠며 어혈이 섞여있지 않음

월경선기月經先期 월경주기가 정상보다 8~9일 이상 단축된 것, 혈열血熱인 경우와 기허氣虛인 경우를 감별

월경후기月經後期 월경주기가 정상보다 8~9일 이상 연장된 것, 혈허血虛, 한응寒凝, 혈어血瘀로 인한 경우를 감별

월경건기月經愆期 월경부조月經不調. 월경주기가 일정하지 않아서 정상보다 8~9일 이상 줄어들기도 하고 늘어나기도 하는 것. 기울氣鬱, 비신허손脾腎虛損에 의한 경우를 감별

경행복통經行腹痛 월경기간 중이나 월경기를 전후로 하여 나타나는 하복부의 통증. 월경 전, 월경 후, 월경 중에 원인에 따른 증상이 달리 나타남

경폐經閉 정상적인 월경이 중단되어서 그 기간이 3개월을 넘어선 경우.

붕루崩漏 월경기가 아닌 시기의 여성 성기 출혈. 갑작스런 다량의 출혈은 붕중崩中이라 하고 지속적인 소량 출혈은 누하漏下라고 하며 이를 통틀어 붕루라고 지칭. 또한 월경기의 비정상적인 다량 출혈은 경붕經崩이라하고, 월경혈이 장시간 끊임없이 흘러나오는 것은 경루經漏라고 함. 붕루의 색과 어혈, 혈괴 유무로써 원인을 파악

▶ **부인에 대한 문진 2 - 기타의 문진(帶·胎·産)**

대하 질 분비물. 소량의 백대하白帶下는 정상적. 그러나 대하의 양이 많거나 색과 질이 변화하거나 악취가 난다면 병적인 대하. 백대白帶, 황대黃帶, 적대赤帶를 감별

임신 평상시 월경이 정상적이었는데, 갑자기 월경이 그치고 다른 병리현상이 나타나지 않으면서 맥이 활삭滑數하게 되면 임신일 가능성이 있음. 임신오조姙娠惡阻, 태동불안胎動不安 증상에 대하여 확인

산후 증상 ① 산후오로産後惡露: 출산 후의 자궁 잔류물 배출. 혈성오로血性惡露가 20일 이상 계속해서 흘러나오는 것은 기허氣虛, 혈열血熱, 혈어血瘀로 인한 것 ② 산후발열産後發熱: 외감, 내상 여부와 열증의 허실을 감별

▶ **소아에 대한 문진[問小兒]**

출생전후 상황에 대한 문진 ① 신생아(생후 1개월까지): 모친에게 임신기와 산유기의 영양, 건강상태 및 난산, 조산의 여부 등에 관하여 문진 ② 영유아嬰幼兒(생후 1개월~3세): 영양상태와 동작, 치아, 언어 등 발달상황에 대하여 문진

식이 및 영양 상태에 대한 문진 수유 상황, 이유離乳 여부, 일반적 음식 섭취 상황과 식이·영양과 연관된 질병을 확인 ☞ ① 유체乳滯·일유溢乳: 모유나 우유에 체하거나 모유·우유를 게움 ② 감疳: 소화기 장애를 동반한 영양 결핍 ③ 주하疰夏 하계에 습열로 인해 발생하는, 식욕부진, 하지무력, 두통, 발열을 나타내는 계절병.

생장발육 상황에 대한 문진 키, 몸무게 등의 성장과 함께 오지五遲, 오연五軟 등 생장 발육에 관련된 다양한 문제의 유

무릎 확인 ☞ ① 오지五遲: 서기 동작 습득의 지체[立遲], 걷기 동작 습득의 지체[行遲], 언어 습득의 지체[語遲], 치아 발생의 지체[齒遲], 두발 생장의 지체[髮遲] ② 오연五軟: 근골격계 발육의 장애. 두연頭軟, 항연項軟, 수연手軟, 각연脚軟, 기육연肌肉軟.

예방접종 및 전염병력 및 전염병원 노출 이력에 대한 문진 생후 6개월에서 6세 사이에는 모체에서 유래한 선천적 면역력이 점차 소실되고 후천 면연 획득이 불완전하므로 마진痲疹=홍역, 풍진風疹, 자시痄腮=이하선염, 단사丹痧=성홍열, 수두水痘, 돈해頓咳=백일해 등의 감염 질환이 호발. 이에 대한 예방 접종 이력과 감염 여부를 확인할 필요가 있음.

소아 질병의 유발 원인에 대한 문진 소아의 증상에 따라 발병의 주된 원인을 파악하기 위한 문진을 실시.

5 진료부 작성

▶ **진료부의 사용 목적** 진료부는 개별 증례의 향후 진료에 대한 참고 자료이자, 의학 지식을 축적하기 위한 기초 자료이며, 의료 행위에 관련한 법적 판정의 근거 자료가 됨.

▶ **한의 진료 기록의 역사** 『사기史記・편작창공열전扁鵲倉公列傳』에는 순우의淳于意(기원전 205~?)가 남긴 25개의 전문적 진료 기록이 수록되어 있음. 이후 동진東晉 갈홍葛洪(284~364)의 『주후비급방肘後備急方』과 수나라 소원방巢元方의 『제병원후론』(610), 당나라 손사막孫思邈(581~682)의 『천금요방千金要方』(652), 『천금익방千金翼方』(682)에도 증례 기록이 흩어져 나타남. 송대에 허숙미許叔微(1079~1154)는 『상한구십론傷寒九十論』이란 전문적 의안집을 저술, 모두 90건의 증례를 수록. 명청대의 주요 의안으로는 여러 의가의 진료기록을 모은 『명의류안名醫類案』(1591), 『고금의안안古今醫案按』(1778)과 개인의 진료기록을 모은 『설씨의안薛氏醫案』(1600년 전후), 『임증지남의안臨證指南醫案』(1764) 등이 있음. 우리나라의 경우 조선 전기부터 사대부 또는 유의儒醫의 문집에 다양한 형식의 진료기록이 나타남. 이문건李文健(1494~1567)의 『묵재일기默齋日記』, 권별權鼈(1589~1671)의 『죽소일기竹所日記』, 유희춘柳希春의 『미암일기眉巖日記』(1567~1577) 등. 『동의보감東醫寶鑑』(1613) 역시 금원사대가를 중심으로 명대 이전 의가들의 참고할 만한 증례기록을 곳곳에서 소개. 조선 후기의 주요 의안으로는 이수기李壽祺(1664~?)의 『역시만필歷試漫筆』(1734), 장태경張泰慶(1809~1887)의 『우잠잡저愚岑雜著』, 은수룡殷壽龍(1818-1897)의 『은수룡경험방殷壽龍經驗方』등이 있으며 사상의학의 창시자인 이제마李濟馬(1831~1900)도 『동의수세보원東醫壽世保元』(1901)에 갖가지 진료 기록을 수록함.

▶ **진료부의 내용**
  진료부의 종류 진료부에는 외래환자 초진기록, 입원환자 초진기록, 경과기록, 임상 각과별 특화 서식, 검사 기록・판독지와 행정적・법적 요구에 의해 발행되는 각종 진료 서식(진단서, 검안서 등)이 포함됨.
  진료부의 내용 일반적으로 한의 진료부에 포함되어야 할 내용은 사진四診 정보와 변증辨證 결과, 치법治法 및 침・뜸・부항・추나 등을 포함한 처방 내용임.

▶ **진료부 작성시 주의사항**

① 사실에 기초하여 작성

② 상세하고 정확하게 증상을 묘사

③ 진료 시점에서 작성

④ 연속되는 진료 기록의 경우 증상·소견의 변화 추이를 파악할 수 있도록 기록

⑤ 수기로 작성할 경우 명료한 필체로 기록해야 하며 표준화된 용어를 사용해야 함. 자신만의 약어, 부호를 사용하면 안 됨

⑥ 자필로 진료자의 성명을 기록

▶ **진료부의 격식**

진료부의 일반 격식 일반적으로 진료부에는 다음의 사항을 차례로 기록함: 환자의 인적사항, 가족력·사회력·가족력·현병력, 주소증主訴症, 망·문·문·절 사진四診 소견 및 기기진단 소견, 병명 및 증명證名, 치법治法, 치료 내용, 진료 일시 및 진료 한의사 서명.

초진기록과 경과기록 초진 진료부에는 위의 '진료부의 일반 격식'에 제시한 모든 사항을 빠짐없이 기록하는 것이 바람직하나 초진 이후 해당 증례의 진료 종결 전까지 이어지는 각종 증상 변동과 치료 내용은 별도의 '경과기록' 양식으로 기록. 경과기록은 통상 ① 환자의 자각 증상, ② 의사의 관찰 소견(징후), ③ (해당 시점에서의) 진단·평가, ④ 투약·자침 기록 등 각종 처치 내용의 4개 항으로 간단히 구성됨

외래 진료 기록과 입원 진료 기록 외래 진료 기록은 내원 시점에서 취득한 각종 정보를 중심으로 기록하며 주로 1~2인의 의료인이 기록. 입원 진료 기록은 입원 기간 동안 수집되는 장시간의 정보를 모두 포함하며 다수의 의료인이 기록에 참여. 형식 역시 상이함.

진료부의 종별 격식 부인과 소아과 등 임상 영역의 과科에 따라 다양한 진료 격식이 존재하며 특화된 진료 영역에 따라(안면신경마비, 비만 등) 그에 특화된 진료부 격식이 존재함

▶ **전자진료부의 활용**

수기 진료부에 대한 전자진료부의 이점 전자진료부는 수기로 작성하는 진료부에 비해 보관이 간편하고 검색과 전송·교환이 쉬우며 가독성可讀性이 우수함. 관리해야 할 진료부의 양이 증가할수록 수기 진료부에 대한 전자진료부의 이점이 커짐.

전자진료부에서 진료 내용의 입력 전자진료부는 흔히 마우스 클릭을 통해 증상이나 치료 내용을 입력할 수 있게 되어 있음. 또 반복되는 진료 내용은 묶어서 등록해 두고 간단한 조작만으로 진료 내용을 기록할 수 있게 되어 있음. 이를 잘 활용할 경우 수기手記보다 효율적으로 진료 내용을 입력할 수 있음.

국민건강보험에 따른 전자진료부의 요구 국민건강보험 진료비 청구에 관련된 진료내역 입력에는 표준 진단명을 사용해야 함. 2016년부터 국내에서는 『한국표준질병사인분류·7판』에 따라 진단명을 입력하고 있음. 현대의학적 질병명을 기록하고자 할 때는 이 자료의 일반 코드를 이용하며 한의 증명證名이나 한의 병명을 기록하고자 할 때는 이 자료의 U항 전반부(U20-U33, 한의 병명), 후반부(U50-U79, 한의 증명; U95-U98, 사상체질진단명)에 수록된 진단명 코드(이른바 U코드)를 이용.

Chapter 8
병력 청취와 진료부 작성

학습목표

▶ 이 실습의 목적은 환자의 병력 청취를 통한 진료부 작성 요령을 획득하여 올바른 진료부 작성 능력을 배양하는데 있다. 따라서 수강생이 본 실습을 통하여 다음과 같은 수준에 도달하는 것을 실습의 목표로 한다.
  1. 병력청취 요령을 습득하여, 문진을 통해 진단에 필요한 환자의 병력을 알아낼 수 있다.
  2. 진료부 구성 양식을 이해하고, 획득한 환자의 임상정보를 진료부 구성에 따라 분류할 수 있다.
  3. 진료부 작성 요령을 습득하여, 진료부 양식에 맞추어 진료부를 작성할 수 있다.
이상 3항의 정량적 달성 수준은 각 항의 '평가 방법' 란에서 규정한다.

실습 1. 병력청취

▶ **소요 시간** 100분

▶ **조 편성** 2인 1조로 진행

▶ **준비물**
  필기도구

▶ **실습 절차**
  1. 실습 의의 및 실습 절차 소개
  2. 조 편성
  3. 각 조마다 한의사 역할, 환자 역할을 정한다.
  4. 한의사 역할을 맡은 수강생은 환자 역할을 맡은 수강생의 신상정보에 대하여 질문한다.
  5. 주소증과 발병일에 대하여 질문한다. 주소증에는 방문하게 된 주된 이유에 대하여 간략하게 기술한다.
  6. 현병력에 대하여 자세하게 질문한다. 현병력에는 주소증을 중심으로 환자가 경험해왔던 증상이나 약물을 포함한 치료내역 등을 연대기적으로 작성하며, 주소증의 악화와 호전요인에 대하여도 자세하게 기술한다.

7. 과거력에 대하여 자세하게 질문한다. 주요한 질병 내역이나 수술, 약물 복용내역, 알레르기 등에 대해 기술한다.

8. 가족력과 사회력에 대하여 질문한다. 가족력에는 비슷한 질환을 앓고 있는 친척, 직계가족의 사망원인, 유전질환 등에 대하여 기술하고, 사회력에는 환자의 성장과정, 특이한 습관, 주거상태, 경제상태, 직업, 생활환경, 종교 등에 대하여 기술한다.

9. 계통적 문진 및 신체검사를 수행한다. 계통적 문진은 주소증과 관계는 없지만 치료를 위해 알아야 할 것들에 대하여 기술하는 것으로서, 환자의 주관적인 느낌이나 생각 등을 포함한다. 신체검사는 한의사가 환자에게 진찰 및 검사를 통해 파악한 정보를 기반으로 판단한 내용으로 한의사의 환자에 대한 객관적 평가내용이다.

10. 문진을 통해 파악한 내용을 주어진 양식에 따라 실습보고서에 기술한다.

11. 진료부 구성 양식의 모든 내용에 대한 진찰이 끝난 경우, 두 학생의 역할을 바꾼다.

12. 한의사와 환자의 역할을 서로 바꾸어, 4~10의 과정을 되풀이 한다.

▶ 실습 주의 사항

1. 실습실 환경을 최대한 진료실과 유사한 형태로 만들도록 한다.
2. 각자 맡은 역할을 진지한 자세로 임하도록 한다.

▶ 정량적 달성 목표

출석 인원의 95% 이상이 병력 청취의 요령 및 진료부 구성 양식을 습득하여 실습보고서에 기술할 수 있다.

▶ 성취도 평가 방법

진료부 작성을 위해 필요한 병력 청취 내용을 실습보고서에 꼼꼼하게 기술하였는지 여부를 보고 정성적으로 평가한다.

실습 2. 진찰과 진료부 작성

▶ **소요 시간** 100분

▶ **조 편성** 2인 1조로 진행

▶ **준비물**

진료부, 필기도구

▶ **사전 준비 사항**

1. 이전의 실습으로 병력 청취 및 신체검사를 이미 마친 상태의 수강생을 대상으로 한다. 이때 본인이 작성한 메모 등을 활용하도록 한다.
2. 진료부 양식을 교부한다.

▶ **실습 절차**

1. 실습 의의 및 실습 절차 안내
2. 조 편성 및 준비물 확인
3. 각 조마다 한의사 역할, 환자 역할을 정한다.
4. 진료부에 환자의 주소증, 발병일, 현병력, 과거력, 가족력, 사회력, 계통적 문진에 관한 사항을 기재한다.
5. 신체검사 소견을 기재한다. 신체검사에는 설진을 포함하는 망진望診, 심음, 폐음을 포함하는 문진聞診, 맥진, 복진을 포함하는 절진切診, 이학적 검사 등의 진찰내용을 기재한다.
6. 신체 검사 및 병력 청취를 기반으로 심병審病을 수행하여 병명病名을 기재한다.
7. 병력 청취와 계통적 문진 내용을 기반으로 변증辨證을 수행하여 증명證名을 기재한다.
8. 추가할 검사나 진찰내용을 포함하는 진단계획, 치료계획, 환자나 보호자를 대상으로 한 교육 계획 등을 기재한다.

▶ **실습 주의 사항**

1. 실습실 환경을 최대한 진료실과 유사한 형태로 만들도록 한다.
2. 각자 맡은 역할을 진지한 자세로 임하도록 한다.
3. 계통적 문진에 기재할 내용과 신체검사 소견에 기재할 내용이 섞이지 않도록 주의한다. 즉 최근 체중 변화 내용은 계통적 문진에, 진료 당시의 체중계로 측정한 체중은 신체검사에 기재하여야 한다.
4. 다른 조에 방해가 되지 않도록 조심하고, 자리이동을 삼간다.

▶ **정량적 달성 목표**

출석 인원의 95% 이상이 진료부 작성요령을 습득하고, 바르게 진료부를 작성할 수 있다.

▶ **성취도 평가 방법**

주어진 진료부 양식에 따라 필요한 모든 사항이 충실히 기록되었는지 여부를 보고 정성적으로 평가한다.

▶ **실습보고서**

진료부 양식은 실습보고서로 대체할 수 있다.

실습 3. 진료부 제작

▶ **소요 시간** 100분

▶ **조 편성** 없음

▶ **준비물**

1. 견본 진료부
2. 이전의 실습으로 작성한 진료부
3. A4용지 (1명당 1-2장)

▶ **사전 준비 사항**

1. 이전의 실습으로 병력 청취 및 진료부 작성 실습을 마친 상태의 학생을 대상으로 한다. 이때 본인이 작성한 진료부 등을 활용하도록 한다.
2. 기존 진료부들의 특징을 이해한다.

▶ **실습 절차**

1. 실습 의의 및 실습 절차 안내
2. 준비물 확인
3. 이전 실습시에 느꼈던 기존 진료부들의 장단점을 파악한다.
4. 진료부의 항목들을 구상한다.
5. 앞으로의 진단계획(추가할 검사 등을 포함), 치료계획, 교육 계획(환자의 교육을 위한 계획) 등에 관해서도 고려한다.

▶ **실습보고서**

1. 별도 배부된 A4용지에 진료부를 제작한 후 제출한다.(작성자 학번과 이름은 우측 상단부에 기록한다.)
2. 다음 페이지에 있는 진료부 제작 보고서에는 본인이 작성한 진료부의 특징을 요약하여 정리기록한다.

▶ **정량적 달성 목표**

수강생 집단에서 95% 이상이 진료부 구성 양식을 습득하고, 진료부 작성이 가능해야 하며, 또한 특화된 나만의 진료부를 제작할 수 있도록 한다.

▶ **성취도 평가 방법**

1. 조별평가(공동점수부과) - 조별로 무작위 1-2명을 선발한 후 제작한 진료부를 발표토록 하고 발표내용의 충실도로 정성평가한다.
2. 개별평가(개별점수부과) - 보고서에 진료부 제작의 특징을 잘 요약 설명하고 있는지 여부를 정성적으로 평가한다.

제 3 단원

절 진

Chapter 9

절진 切診 / 학습내용 요약

학습목표

▶ 촉각을 통하여 한의학적 진단 정보를 얻는 배경 이론을 이해하고, 환자의 체표를 촉지하는 방법과 각종 맥상을 촉지하는 방법을 익혀 임상에서 절진을 원활히 수행할 수 있도록 그 기본 능력을 배양한다.

▶ **절진切診** 손을 이용하여 환자의 체표의 일정 부위에 촉觸, 모摸, 안按, 압壓을 함으로써 병세의 정보를 얻어 내는 진찰방법. 맥진脈診과 안진按診의 두 부분으로 나뉨. 맥진은 환자의 일정 부위의 맥박을 나누어 짚어 보는 것이고, 안진은 환자의 피부, 수족, 흉부 및 기타 부위를 촉觸, 모摸, 안按, 압壓하는 것. 단, 고대의 절진은 맥진을 말함.

1 맥진

▶ 맥진이란

맥박이 뛰는 곳을 눌러 맥동의 각종 특징을 파악하여 개체의 건강 수준과 병ㆍ증을 진단하는 방법.

▶ 맥파와 맥진

맥파 좌심실에서 혈액이 대동맥으로 박출되면 대동맥은 혈관의 탄성에 의해 확장과 수축을 하게 됨. 이처럼 심장의 혈액 박출에 의해 대동맥에서 기시하여 혈관 벽을 타고 말초로 전달되는 파동을 맥파pulse wave라 함.

맥파와 혈류 맥파 진행의 빠르기, 즉 맥파전달속도pulse wave velocity(PWV)는 정상인의 심장과 상지 사이에서 7~9m/sec 정도를 보임. 이에 비해 혈액의 유속은 같은 구역에서 0.4~0.8m/sec 정도로 맥파전달속도보다 약 10배 늦음.

압력 효과와 용적 효과 대동맥 벽과 같은 탄력성이 풍부한 탄성동맥elastic artery에서는 혈관 내압의 변화에 의해 상당한 용적 변화가 나타남. 그러나 요골동맥과 같은 중소동맥은 근성동맥muscular artery으로서 내압의 상승과 하강에 대해 혈관벽의 확장과 수축이 용이하지 못하여 극히 적은 용적변화를 일으킴. 예를 들어 약 10mm^{3}의 용적을 가진 혈관의 경우 0.04mm^3 정도 변화. 압력의 변동 폭과 비교할 경우 용적 변동의 폭은 약 1/250에 불과. 따라서 맥진을 할 때 요골동맥 박동의 감지에 기여하는 주요 요소는 맥동의 압력 효과임

▶ 맥상 형성의 장상학

심장과 종기 심장은 혈맥을 주관하고[心主血脈], 흉부의 종기宗氣는 박동을 형성 ☞ 위의 큰 낙맥을 허리虛里라고 하는데, 이 낙맥은 횡격막을 관통하여 폐에 연결되고 왼쪽 젖꼭지 아래로 나온다. 그 박동이 옷에 전달되는데, 이것이 맥의 종기다. …… 젖꼭지의 아래에서 그 박동이 옷에 전달되는 것은 종기가 새어나오는 것이다(胃之大絡, 名曰虛里, 貫膈絡肺, 出於左乳下。其動應衣, 脈宗氣也。…… 乳之下其動應衣, 宗氣泄也。)(황제내경·소문·맥요정미론脈要精微論).

▶ 맥학 학습 방법

① 음양이론을 숙지

② 맥진 이론을 숙지

③ 맥과 증상의 관계를 유추

④ 증상에 따른 맥을 유추

⑤ 자침 후 맥의 변화를 관찰

▶ 맥진의 부위

맥진은 촉지 부위에 따라 12경맥편진법遍診法, 삼부구후맥법三部九候脈法, 삼부진법三部診法, 인영촌구맥법人迎寸口脈法, 촌구맥법寸口脈法으로 나뉨. 진晋나라 이래 촌구맥법이 보편적이며, 촌구맥법 이외의 맥진법은 비교적 적게 사용하고 있으나, 병세가 긴급하거나 양손의 촌구에 맥동이 없을 때는 촌구 이외 부위도 맥진에 활용함

십이경맥편진법十二經脈遍診法 사지 말단의 12개 혈위(대개 원혈)에서 진맥

삼부구후맥법三部九候脈法 머리, 손, 다리 세 부분에 각각 3개소, 모두 9개 부위에서 진맥. 구체적인 절맥 부위는 아래의 표 9-1과 같음

삼부진법三部診法 인영人迎(총경동맥 박동 촉지 부위), 촌구寸口(요골동맥 박동 촉지 부위), 부양趺陽(족배동맥 박동 촉지 부위)의 맥을 진단. 『상한론傷寒論』에 소개됨.

인영촌구진법人迎寸口診法 인영기구맥법人迎氣口脈法이라고도 함. 인영과 촌구의 맥을 촉지. 인영맥은 삼양경三陽經, 체표[表], 육부의 상태를 반영하고 촌구맥은 삼음경三陰經, 체내, 오장의 상태를 반영. 맥의 조동[躁]이 없으면 족육경足六經의 이상, 맥의 조동이 있으면 수육경手六經의 이상으로 판정. 정상적인 인영맥과 기구맥은 한 가닥의 밧줄을 당기듯 대소가 대등하며[若引繩, 小大齊等] 봄과 여름에는 인영맥이 약간 더 강하고 가을과 겨울에는 촌구맥이 약간 더 강한 것이

표 9-1. 삼부구후맥법의 촉지 부위와 진단 의의

삼부三部	구후九候	상응하는 경맥과 혈위	맥을 통해 관찰하는 대상
상부上部(머리)	천天	족소양경足少陽經, "양액동맥兩額動脈" 태양혈太陽穴	머리
	지地	족양명경足陽明經, "양협동맥兩頰動脈" 거료혈巨髎穴	입과 치아
	인人	수소양경手少陽經, "이전동맥耳前動脈" 이문혈耳門穴	귀와 눈
중부上部(손)	천天	수태음경手太陰經, 태연혈太淵穴 또는 경거혈經渠穴	폐
	지地	수양명경手陽明經, 합곡혈合谷穴	흉중의 기
	인人	수소음경手少陰經, 신문혈神門穴	심장
하부下部(다리)	천天	족궐음경足厥陰經, 족오리혈足五里穴(태충혈太衝穴로 대신하기도 함)	간
	지地	족소음경足少陰經, 태계혈太溪穴	신장
	인人	족태음경足太陰經, 기문혈箕門穴(충양혈衝陽穴로 대신하기도 함)	폐와 위

정상

촌구진법寸口診法 촌구에서만 맥을 살피는 진단법. 촌구寸口는 기구氣口또는 맥구脈口로도 불리는데, 손목 뒤의 고골高骨(요골 경상돌기 근위부의 돌출 부위) 안쪽으로, 요골동맥이 통과하는 자리. 촌구진법은『황제내경黃帝內經』에 처음 나왔고『난경難經』에 상세하게 나와 있으며 진대晉代 왕숙화王叔和의『맥경脈經』에 의해 보급됨

맥경 이후 촌구에서만 맥을 취한 이유 ① 십이경맥의 기시점이자 종지점인 수태음폐경의 원혈(태연太淵)이며, "맥이 대회大會하는 곳"이기 때문 ② 폐조백맥肺朝百脈하여, 촌구의 맥기가 오장육부의 기혈 상태를 반영하기 때문 ③ 피부가 부드러워 맥이 쉽게 드러나므로 맥을 짚기가 쉬움

촌관척寸關尺 촌구寸口는 촌관척寸關尺의 세 부분으로 나뉘는데, 고골을 기준으로 그 내측 부위는 관關이며, 관의 앞부분(손목 쪽)이 촌寸이고, 관의 뒤쪽(팔꿈치 쪽)이 척尺. 좌우를 합치면 육부맥六部脈이 됨.『난경難經』에서는 촌구寸口의 촌관척寸關尺 세 부위마다 그 촉지 심도를 다시 부중침浮中沈의 세 단계로 나누었는데, 후대에 이를 "삼부구후三部九候"라고 부른 예도 있음

내경의 촌관척-장부 연계 전통적으로『황제내경・소문・맥요정미론』의 설명을 다음과 같이 해석: ① 좌촌左寸 외측에서는 심장心臟을 살피고, 내측에서는 전중膻中을 살핌 ② 우촌右寸 외측에서는 폐肺를 살피고, 내측에서는 가슴을 살핌 ③ 우관右關 외측에서는 간肝을 살피고, 내측에서는 흉격胸膈을 살핌. 우관右關의 외측에서는 위胃를 살피고, 내측에서는 복부腹部를 살핌 ④ 좌척左尺 외측에서는 신장腎臟을 살피고, 내측에서는 복부腹部를 살핌. 우척右尺 외측에서는 신장腎臟을 살피고, 내측에서는 복부腹部를 살핌. 그러나 일본의 단파원간丹波元簡은 이것이 척부尺部의 피부와 장부의 연결을 설명한 것이라는 해석을 제시('안진' 단원의 '척부의 안진'을 참조)

난경의 장부 배속 『난경』에서는 촌관척과 부중침 두 가지로 맥진 위치와 장부를 연결. ① 촌관척: 좌척은 수, 좌관은 목, 좌촌은 화, 우척은 화(심포), 우관은 토, 우촌은 금. 상생으로 장부 배속을 설명(18난. 다음 그림 9-1참조). 육부는 오장의 표리에 따라 같은 곳에서 살핀다고 설명 ② 부중침: 부浮에서 심폐, 중中에서 비, 침에서 간신을 살핌. 후대에 장삼석張三錫이 이를 따름.

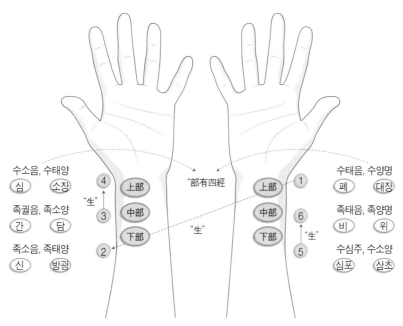

그림 9-1.『난경・18난』에 나타난 촌・관・척의 장부 대응

육부의 배속 『난경』에서와 같이 표리관계로 오장과 같은 곳에서 육부를 살핀다고 한 이론과 『내경』에서와 같이 상부는 인체 상부, 하부는 인체 하부를 나타낸다고 한 이론에 따라 대장 소장을 척에서 살펴야 한다는 이론으로 나눌 수 있음. 서춘보徐春甫, 오겸吳謙 등은 대장이 금이므로 신을 따라 좌척에서, 소장은 우척이 명문화이므로 우척에서 관찰해야 한다고 주장. 장개빈張介賓, 유창喩昌, 하몽요何夢瑤, 서대춘徐大椿, 주학정周學霆 등은, 대장은 폐를 따라 우척에서, 소장은 심을 따라 좌척에서 관찰해야 한다고 주장. 삼초에 대해서는, 왕숙화王叔和, 장개빈 등은 우명문의 부위인 우척에서 관찰해야 한다고 주장. 이중재李中梓 등은, 상초는 촌에서, 중초는 관에서, 하초는 척에서 관찰해야 한다고 설명.

촌관척과 장부의 연결에 대한 역대의 주요 학설은 아래의 표 9-2와 같음.

표 9-2. 촌관척 각 부위의 장부 대응에 대한 역대의 학설

출전	촌		관		척		설명
	좌	우	좌	우	좌	우	
난경	심	폐	간	비	신	신	대소장은 심폐에 배속되어 서로 표리가 된다. 오른쪽 신장이 화火에 속하므로
難經	소장	대장	담	위	방광	명문	명문 또한 우척右尺을 살펴야 한다.
맥경	심	폐	간	비	신	신	
脈經	소장	대장	담	위	방광	삼초	
경악전서	심	폐	간	비	신	신	대장은 좌척에 배속되어 이것은 금수金水가 서로 따르는 것이다. 소장은
景岳全書	심포락	전중	담	위	방광	삼초	우척右尺에 있는데 화火가 화火의 위치에 있는 것이다.
					대장	명문·소장	
의종금감	심	폐	간	비	신	신	소장은 좌척左尺에 있고 대장은 우척右尺에 있는데 부위가 서로 어울림으로써
醫宗金鑑	전중	흉중	격膈, 담	위	방광	대장	삼초三焦가 촌관척의 세 부위로 나누어질 수 있다.
					소장		

촌구부寸口部의 촌관척寸關尺에서 살피는 것은 오장육부五臟六腑의 기기氣임. 오장五臟과 육부六腑의 상관성相關性과 위상배속관계位相配屬關係를 고려한다면, 촌관척寸關尺의 오장육부五臟六腑 구분 배속의 의의를 바르게 이해할 수 있음

▶ 맥진의 방법과 주의 사항

시간 『황제내경黃帝內經』에서는 이른 아침이 진맥을 하기에 가장 좋은 시간이라 하였음. 이른 아침에는 음식 섭취와 신체 활동이 없어서 체내외의 환경이 모두 비교적 안정되어 있고, 경맥의 기혈이 방해받을 요소가 적으므로 환자의 진실한 맥상을 살피는 데 용이하다고 봄

사전 준비 진맥 전에 먼저 환자를 안정시키고 호흡을 고르게 함으로써 기혈이 평정되도록 하면서 동시에 진료실을 조용하게 함으로써 의사가 맥상을 제대로 느낄 수 있음. 보통 환자를 약 10분 정도 안정시킨 후 진맥을 하는 것이 바람직함

진맥 시간 맥을 짚는 시간은 한 손에 최소 1분 이상으로 3분 정도가 이상적임. 그러나 진맥 후 맥이 변하는 환자의 경우는 안정된 맥이 출현하는 시간을 고려해야 함

체위 환자는 좌식坐式이나 정와식正臥式을 취하고 손목을 바르게 펴서 심장과 같은 높이로 놓고 손목은 곧게 하고 손바닥은 위로 향하게 한 후 손목 관절 아래에 작은 받침(맥침脈枕)을 대고 진맥

지법指法 의사는 환자를 바로 보고 왼손으로 환자의 오른손을, 오른손으로 환자의 왼손을 진맥
① 손가락의 정위定位와 포지布指: 먼저 중지로 환자의 손바닥 뒤의 고골高骨 안쪽으로 관맥關脈 부위를 짚고, 2지[食指]로

관맥 앞의 촌맥寸脈 부위를 짚고, 4지[無名指]로 관맥 뒤의 척맥尺脈 부위를 짚음. 세 손가락을 동그랗게 하고 손끝은 가지런하게 한 후 지첨指尖 또는 지복指腹으로 맥을 촉지. 지복을 활용하는 것은 이 부위의 감각이 비교적 예민하기 때문이나 사람에 따라 지첨부로 진맥을 하는 경우도 있음. 키가 크고 어깨가 긴 자는 느슨하게 손가락을 놓고, 몸이 약하고 작은 사람은 조밀하게 손가락을 놓아야 함. 어린아이의 촌구부위는 아주 짧아 일반적으로 한 손가락으로 일지정관법一指定關法을 사용해 진맥하고 엄지손가락을 사용해 촌관척 세 부위를 진맥함

② 단안單按과 총안總按: i) 총안總按 ☞ 세 손가락을 나란히 펴서 동시에 맥을 누르는 것. 총체적으로 삼부구후三部九候 (촌관척의 부중침)의 맥을 감지하는 것이 목적 ii) 단안單按 ☞ 한 손가락씩 나누어 그 중 한 부위의 맥을 누르고 한 부위의 맥상 특징을 감지하는 것. 임상에서는 총안과 단안을 섞어서 활용

③ 거안심심擧按尋 및 추경推竟: i) 거擧 ☞ 손가락으로 가볍게 피부 위를 누르는 것. 부취浮取, 경취輕取라고도 함 ii) 안按 ☞ 손가락으로 근筋, 골骨의 부위까지 세게 누르는 것. 침취沈取나 중취重取라고도 함 iii) 심尋 ☞ 손가락의 힘을 중간 정도의 세기로 하여 맥을 누르는 것 iv) 추推 ☞ 손의 위치를 내외로 옮겨 규맥扎脈, 혁맥革脈 또는 대맥大脈, 소맥小脈 등을 구별하기 위한 방법 v) 경竟 ☞ 손의 위치를 위아래로 옮겨 장맥長脈, 단맥短脈 등을 구별하기 위한 방법

▶ **맥상의 기본 요소 - 위 · 수 · 형 · 세**

맥상은 복합된 여러 형태로 나타나므로 맥의 기본 요소를 위位, 수數, 형形, 세勢의 4가지로 구별. 위位는 맥박 위치의 천심淺深, 즉 부浮 · 중中 · 침沈을 말하고, 수數는 맥박의 주기[遲數]과 규칙성[節律]을 말하며, 형形은 맥의 굵기[粗細], 길이[長短], 맥관의 경도硬度와 맥박 왕래往來의 유연성을 말하고, 세勢는 맥박의 세기[强弱]를 말함. 이러한 4가지 요소가 단독적으로 나타나거나 복합적으로 결합되어 28종의 맥상, 즉 28맥을 형성. 청대의 주학해周學海는『맥의간마脈義簡摩』(1892)에서 위수형세에 각 특징의 뚜렷한 정도와 상호 결합 여부를 추가하여 "위수형세미심겸독位數形勢微甚兼獨"의 팔자진언으로 맥상의 기본 요소를 요약

▶ **평맥의 정의**

평맥平脈은 정상인의 맥상. 평맥은 ① 촌 · 관 · 척 3부에 모두 맥동이 나타나며 ② 1회 호흡에 4~5회의 박동(60~80회/분)이 나타나고, ③ 위胃 · 신神 · 근根의 3가지 특성(아래 '위 · 신 · 근' 참조)이 있어야 하며 ④ 계절과 생리활동에 따라 상응하는 변화가 나타나야 함

▶ **맥의 위胃 · 신神 · 근根**

맥상의 유위有胃, 유신有神, 근근有根은 정상적인 맥상이 갖추어야 할 요소임.

위胃 위기胃氣. 맥동의 부드러움[從容和緩].

신神 맥동의 규칙성

근根 ① 근저의 힘. 깊이 눌러도 맥동이 정지하지 않는 성질 ② 척尺 부위 맥동에 힘이 있는 것

▶ **맥의 계절적 변동(사시맥)**

봄 · 여름에는 맥이 상승하고(부맥 경향) 가을 · 겨울에는 하강함(침맥 경향).『황제내경』에는 봄에 현맥弦脈, 여름에 구맥鉤脈(홍맥洪脈), 가을에 모맥毛脈(부맥浮脈), 겨울에 석맥石脈(침맥沈脈)이 나타난다고 하였으나 가을에 부맥이 나타난다는 것은 실증적 연구 결과와 차이를 보이는 부분임.

▶ 맥의 생리적 변이

평맥은 인체 내외의 요소에 따라 영향을 받아 그에 상응한 생리적 변화가 있게 되므로, 절맥 시 이러한 부분을 고려해야만 함.

계절과 기상 봄에는 약간 현弦, 여름에는 약간 홍洪, 가을에는 약간 부浮하고, 겨울에는 약간 침沈함. 계절에 상응한 맥이 되어야 병이 없는 것이며 그렇지 않으면 병이 있는 것

지리적 환경 저위도 지역은 기후가 덥고 습하기 때문에 인체 피부가 느슨해지고, 맥은 가늘고 부드러움. 고위도 지역이나 고산 지역은 공기가 건조하고 기후가 차갑기 때문에 인체 피부는 수축되고 맥이 가라앉고 실함

성별 여자의 맥상은 비교적 남자보다 약하고 빠름. 임신부에게서는 활삭맥滑數脈이면서도 온화한 맥상을 볼 수 있음

연령 나이가 적을수록 맥박은 빠름. 영아는 120회/분, 5·6세의 유아는 90~110회/분. 연령이 점차 많아질수록 맥박은 점차 늦어짐. 청년의 맥박은 힘이 있고, 노인들은 기혈이 허약하고 정력이 쇠약해져 맥박이 비교적 약함. 아동의 맥상은 비교적 부드럽고, 노인의 맥은 비교적 현弦함

체격 체구가 큰 사람은 맥이 나타나는 부위도 비교적 길고, 작은 사람은 맥이 나타나는 부위도 비교적 짧음. 마른 사람은 피부가 얇기 때문에 맥은 항상 부浮하고, 비만한 사람은 피부 지방이 두껍기 때문에 맥이 비교적 침沈함. 운동하는 사람의 맥은 비교적 부드럽고 힘이 있음

감정 기쁘거나 슬프면 맥이 부드럽고, 노하면 맥이 빨라지며, 놀라면 기가 어지러워지므로 동맥動脈이 나타남. 감정이 편안해지면 맥상 역시 정상으로 돌아옴

움직임 격렬한 운동과 움직임 후에는 맥이 많이 급해지며, 잠이 든 후의 맥은 비교적 부드럽고, 머리를 많이 쓴 사람의 맥은 몸을 쓰는 사람보다는 약함

식사 밥이나 술을 먹은 후의 맥은 빠르고 힘이 있으며, 배가 고플 때의 맥은 비교적 느리고 힘이 없음

맥관 주행의 변이 일부 사람의 맥은 촌구寸口에서 볼 수 없음. 척부尺部에서 약간 손등을 향한 곳에서 맥이 나타날 경우 사비맥斜飛脈, 촌구의 뒤쪽에 나타날 경우 관반맥關反脈이라고 함. 모두 생리적으로 특이한 맥위로서, 요골동맥의 해부학적 위치에 변이가 일어난 것이므로 병맥에 속하지 않음

▶ 주요 병리 맥상

맥상은 위位, 수數, 형形, 세勢 4가지 방면으로 세심하게 살펴보아야 함. 예를 들어 부맥과 침맥은 맥의 위치[位]가 다르고, 지맥과 삭맥은 맥이 이르는 횟쉬[數]가 다르며, 허맥과 실맥은 힘의 강약[勢]이 다름. 그 외 어떤 맥상은 몇 가지가 서로 결합하여 형성된 것으로 예를 들어 홍맥과 미맥은 형태[形]와 기세[勢] 두 가지 방면이 같지 않음

부맥浮脈 맥위脈位가 얕음. 가볍게 짚으면 감지되고 강하게 누르면 약간 감약되나 공허하지는 않음 [의의] 부맥은 병위病位가 얕은 곳에 있음을 나타나는 것으로 표증表證을 지시. 또한 허증에서도 보일 수 있음. 생리성 부맥은 몸이 마르고 맥위脈位가 상대적으로 얕게 나타나는 자에게 볼 수 있음. 여름에는 양기가 승부升浮하기 때문에 맥상 역시 부浮하게 됨

침맥沈脈 맥위脈位가 깊음. 가볍게 짚으면 나타나지 않고, 강하게 눌러야 나타나기 시작 [의의] 침맥은 병위가 장부, 골수 등에 있는 것으로 이증裏證을 지시. 실증의 경우에는 침하면서 유력[沈而有力], 허증의 경우에는 침하면서 무력[沈而無力]. 생리성 침맥은 살이 찌고 맥관이 상대적으로 깊은 자에게 나타남

복맥伏脈 맥위脈位가 매우 깊음. 손가락으로 근筋을 밀어 뼈를 세게 눌러야 맥박을 느낄 수 있음 [의의] 사폐邪閉, 궐증厥證을 지시. 주로 통증이 극에 달한 경우[痛極]. 두 손에서 복맥이 나타나고 동시에 태계맥太溪脈과 부양맥趺陽脈이 모두 보이지 않는 것은 위급한 증세

지맥遲脈 맥박수가 줄어들어 1회 호흡당 4회의 박동에 미치지 못 함(매분 맥박이 60회 이하) [의의] 한증寒證을 지시.

유력하면 한적寒積, 무력하면 허한虛寒을 나타내나 지맥이 나타난다고 하여 모두 이에 해당하는 것은 아님. 상한傷寒의 양명병陽明病에서 장腸에 열이 있고 소변이 나오지 않게 되면 맥기의 흐름이 막혀 지遲하면서 유력한 맥이 나타남. 생리성 지맥遲脈은 오랫동안 훈련을 받은 운동선수에게서 볼 수 있음

삭맥數脈 맥박수가 증가하여 1회 호흡 당 5회 이상의 박동이 보임(매분 맥박이 90회 이상) [의의] 열증熱證을 주관. 유력하면 실열實熱, 무력하면 허열虛熱. 오랜 병에 음허로 허열이 생기면 맥상은 세삭細數하고 무력해짐. 허양외부虛陽外浮하면 맥은 삭하면서 무력하여 맥을 누르면 속이 공허함. 생리성 삭맥은 아동(매분 110회 정도)과 영아(매분 120회 정도)에서 볼 수 있음. 정상인은 운동을 하거나 흥분한 상태일 때 맥이 빨라짐

질맥疾脈 맥박이 삭맥보다 빨라 1회 호흡당 7~8회의 박동이 보임(매분 140번 이상) [의의] 양항음갈陽亢陰竭하고 원기가 사라지려는 것[元氣將脫]을 지시. 생리성 질맥은 심한 운동을 한 후에 나타나는데, 영아의 맥은 1회 호흡에 7회 박동이 평맥이므로 이를 질맥으로 간주하지 않음

대맥大脈 맥체脈體의 폭이 넓지만[寬大] 맥이 용솟음칠 만한 기세는 없음 [의의] 병세가 더욱 심해지면 나타남. 대하면서 삭실數實하면 사기실邪氣實, 대하면서 무력하면 정기허正氣虛. 생리적인 대맥은 건강한 사람에게 보이는데 맥이 크고 부드럽고 조용하며 촌구의 3부가 모두 크며 이는 심신이 건강함을 나타냄

세맥細脈 맥이 실 같이 가늘지만 뚜렷하게 나타남 [의의] 기혈양허氣血兩虛 등 모든 허증虛證과 노손勞損을 지시. 영혈營血이 부족하면 맥도를 채우지 못 하고, 기氣가 허하면 혈액을 운행할 힘이 없기 때문에 맥체脈體가 가늘며 연약무력軟弱無力하게 됨. 습사 역시 맥도를 막아 기혈의 운행에 제한을 주어 세맥이 나타나게 함. 온병溫病의 열입영혈熱入營血, 열입심포熱入心包에서는 세삭맥細數脈이 나타남. 생리성 세맥은 겨울에 보이는데, 한냉寒冷이 외부를 속박하기 때문에 맥도가 수축되어 맥상이 침세沈細하게 됨

홍맥洪脈 맥체가 넓고[寬大] 충실유력充實有力하여, 파도가 넘치고 물거품이 솟아오르는 것 같은 모양으로 팽창의 기세는 강하고 수축의 기세는 약함[來盛去衰] [의의] 기분열성氣分熱盛을 지시. 구병久病, 허로虛勞, 실혈失血, 구설久泄 등의 병증에서는 부취浮取했을 때 성대盛大하고 침취沈取했을 때 무근無根하여 사성정쇠邪盛正衰의 위급한 상황을 나타냄. 생리성 홍맥은 여름에 많이 보이는데 여름에는 양기가 강하기 때문에 종종 홍맥이 나타남

미맥微脈 맥형脈形이 세소細小하고, 맥세脈勢는 연약軟弱해서 누르면 끊어지려고 하여 있는 듯 없는 듯함. [의의] 기혈대허氣血大虛, 양기쇠미陽氣衰微를 지시. 경취輕取하였을 때 맥이 있는 듯 없는 듯하면 양기가 쇠한 것이고 중안重按하여 맥이 있는 듯 없는 듯하면 음기가 고갈된 것. 구병久病에 맥이 미하면 정기쇠절正氣衰絶, 신병新病에 맥이 미하면 양기폭탈陽氣暴脫

허맥虛脈 삼부의 맥을 누르면 모두 무력함 [의의] 허증虛證을 지시. 기혈氣血과 장부가 모두 허할 때 보임

실맥實脈 삼부의 맥이 손가락을 거擧하거나 안按하거나 모두 유력有力 [의의] 실증實證을 지시

활맥滑脈 왕래往來가 매끄러워[流利] 쟁반 위에 구슬을 굴리는 것 같음 [의의] 담음痰飮, 식체食滯, 실열實熱을 지시. 생리성 활맥은 부녀임신기에 기혈이 충실하고 조화로울 때 나타남. 정상인의 맥이 부드럽고 온화하면서 영위가 충실한 모양이면 이는 평맥平脈에 속함

삽맥澁脈 맥이 가늘고 늦으며 왕래往來가 어려워 막히고 소통되지 않는 것이 칼로 가볍게 대나무를 긁는 것과 같아 활맥滑脈과는 서로 상반됨. [의의] 상정傷精, 혈소血少, 기체혈어氣滯血瘀, 담음痰飮, 식적食積를 나타냄. 정과 혈이 줄어들면 경맥을 충양充養할 수 없게 되고 맥중에서 기혈의 왕래가 잘 되지 않아 맥상이 삽하면서 무력[澁而無力]하게 됨. 기체혈어氣滯血瘀나 담음, 식적으로 기혈의 왕래가 되지 않은 경우에는 그 맥상이 삽하면서 유력[澁而有力]함

장맥長脈 맥형이 길고 수미首尾가 단직端直하며 맥이 본래 잡히는 범위(촌관척 부위)를 초월함. [의의] 양열내성陽熱內盛 등의 유여有餘한 증을 지시. 양항陽亢, 열성熱盛, 담화내온痰火內蘊은 맥기脈氣를 실하게 하고 맥도를 채우므로 맥이 길면

서 유력[長而有力]하고, 맥동 촉지부가 앞뒤로 촌寸, 척尺을 초월함. 장맥長脈 역시 정상인에게서 볼 수 있음. 그 맥상은 맥이 길게 잡히면서 화완유력和緩有力하여 기혈이 충실하고 그 운행이 원활한 모양으로, '장맥이 나타나면 기가 안정되어 있는 것이다[長則氣治]'는 말이 있음

단맥短脈 수미首尾가 짧아 삼부三部(촌관척)를 채우지 못함. [의의] 단맥이면서 유력한 경우는 기체氣滯를 지시, 단맥이면서 무력한 경우는 기허氣虛에 해당. 기가 부족하여 혈행을 추동하지 못하는 경우에는 단맥이면서 무력하게 됨. 기체, 혈어, 담음 및 식적으로 인하여 맥도가 막히면 맥기脈氣가 퍼지지 못하여 단맥이면서 유력하게 됨

현맥弦脈 거문고 줄을 누르는 것 같이 단직이장端直而長하고, 맥세脈勢는 비교적 강하고 단단함. [의의] 간담병肝膽病, 통증痛症, 담음痰飮, 학질虐疾을 주관함. 허로虛勞, 위기쇄패胃氣衰敗에서도 나타남. 사기邪氣가 간을 해쳐 간의 소설疏泄에 장애가 생긴 경우나, 자주 성을 내거나 침울한 정서로 기체氣滯가 있는 경우, 기타 담음痰飮이 있을 때도 현맥弦脈이 나타남. 허로虛勞에 중기가 부족하여 간기가 비를 침범[肝病乘脾]하한 경우에도 현맥이 나타남. 맥이 현세弦細하며 경급勁急한 것이 칼날을 따라 가는 것 같으면 위기胃氣가 전무한 것으로 난치에 속함

긴맥緊脈 맥세脈勢는 동아줄이 꼬인 듯하여 단단하게 손가락에 와 닿으며 팽팽하고 힘이 있음. [의의] 한寒, 통痛, 숙식宿食을 지시. 한사寒邪가 인체에 침입하면 양기陽氣의 운행을 막아 정기와 한사가 맞부딪혀 맥도를 긴장하게 하여 긴맥緊脈이 나타남. 한사가 표表에 있으면 맥상은 부긴浮緊하고, 한사가 이裏에 있으면 맥상은 침긴沈緊함. 극통劇痛, 식체食滯의 긴맥도 한사나 숙식이 정기와 충돌함으로써 발생

완맥緩脈 ① 긴장도가 없는 맥. 맥이 이완되어 눌렀을 때 팽팽한 느낌이 없음 ② 정상 범위에서 상대적으로 느린 맥. 평맥平脈에 비해 약간 늦고 지맥遲脈보다는 빠름. 분당 맥박수가 60~72회 정도인 맥. [의의] 습병濕病, 비위허약脾胃虛弱을 지시. 습사濕邪는 그 성질이 무겁고 정체하기 쉬우므로 습이 침범하면 맥박이 느리게 됨.비위脾胃가 허약하면 맥박에 긴장감이 없어지고 이완된 맥박을 보임. 생리적 완맥은 맥의 흐름이 안정적이면서 부드러움.

산맥散脈 맥이 얕은 곳에서만 잡히고 살짝 눌러도 맥이 흩어지며 심부에는 힘이 전혀 없고, 박동수가 일정하지 않음. [의의] 장부臟腑의 기氣가 끊어진 것. 기혈쇄패氣血衰敗하고, 원기元氣가 끊어지려 하면, 맥기脈氣가 흩어지고 어지러워 수렴되지 않으므로 가볍게 맥을 짚어도 맥이 흩어지고 깊이 누르면 박동이 없으며 맥동 주기가 불규칙한 산맥이 나타남. 옛 사람들은 "흩어지는 것이 버드나무 꽃 같아서 정해진 흔적이 없는 것 같다"라고 표현했음

규맥芤脈 부대浮大하고 가운데는 비어 있어 파 줄기[蔥管]를 만지는 것 같음. 상하 양쪽에서 모두 맥동을 감지할 수 있으나 중간은 비어 있음 [의의] 실혈失血, 상음傷陰을 지시. 갑자기 과다한 실혈이 생기면 음陰이 상하여 양陽이 의지할 곳이 없어 규맥이 보이게 됨

혁맥革脈 맥이 얕게 잡히면서 손가락을 치는 것이 가운데가 비어 있고 밖으로는 단단하여 눌러보면 북의 가죽을 만지는 것 같음 [의의] 망혈亡血, 실정失精, 유산[半産], 설사 등에 보임

뇌맥牢脈 침沈, 현弦, 실實, 대大, 장長의 다섯 가지 특성을 가지고 있으며 심부에서 단단하게 잡힘 [의의] 음한내실陰寒內實과 산疝, 적積을 지시. 뇌맥이 있으면서 실혈失血이나 음허陰虛의 증상이 증상이 나타나면 위급한 상황

유맥濡脈 맥위는 부浮, 맥형은 가늘고[細] 맥세는 연약하여 중안重按하면 없어짐 [의의] 허증虛證, 습증濕證을 지시

약맥弱脈 연약軟弱하고 침세沈細함 [의의] 기혈부족氣血不足, 양허陽虛를 지시. 혈허하므로 맥이 가늘고[細], 기허하므로 맥의 박동에 힘이 없고[乏力=虛] 양허하므로 맥위가 깊음[深沈]. 병후에 정기가 허할 때는 약맥이 나타나는 것이 순증. 새로운 병에 사기가 실할 때 약맥이 나타나는 것은 역증

동맥動脈 맥형脈形이 콩 같아 활삭滑數하며 단短하고 동요動搖하며 관부에 특별히 잘 촉지됨(맥체가 비교적 짧음) [의의] 통증, 공포를 나타냄

촉맥促脈 맥이 박동이 때때로 멈추는데 그 멈춤에 규칙성이 없음 [의의] 양성열결陽盛熱結 또는 담음痰飮, 숙식적체宿食積

滯를 지시

결맥結脈 맥이 느리게 박동하면서 도중에 한 번씩 정지하되 정지하는 데 규칙성이 없음 [의의] 음성기결陰盛氣結, 한담혈어寒痰血瘀, 징가적취癥瘕積聚를 지시. 허증에서는 기혈허쇠氣血虛衰를 지시. 결맥에 유력하면 실증(주로 음성사결陰盛邪結), 결맥에 무력하면 허증(주로 구병허손久病虛損)

대맥代脈 맥동이 한 번씩 정지하되 정지하는 데 규칙성이 있고, 오래 기다려야 맥이 다시 박동 [의의] 대맥이면서 무력하면 비통痺痛, 칠정과격七精過激, 질타손상跌打損傷을 나타냄. 대맥이면서 무력하면 장기쇠약臟氣衰弱, 기혈휴손氣血虧損을 나타냄

▶ 맥상의 상호 감별

상술한 28개 맥상 가운데 어떤 맥상은 비슷하기 때문에 쉽게 구별이 되지 않으므로 절맥시 비교하고 구분해야만 함

비류법比類法 비슷한 맥상의 동일함 중에 다른 것을 알아내는 감별 방법. 일반적으로 부浮, 침沈, 지遲, 삭數, 허虛, 실實의 여섯 가지 맥을 대영역, 즉 강綱으로 하여 28개 맥을 종류별로 귀납, 비교하여 팔강변증 및 기타 변증 항목과 연결(표 9-3)

표 9-3. 육강맥六綱脈 비교(다음 장으로 이어짐)

맥강	맥명	맥상	주병
부맥류	부浮	가볍게 누르면 잡히고, 세게 누르면 조금씩 감소하지만 공허하지는 않음	표증, 허증
	홍洪	파도가 용솟음치듯 아주 크고 힘이 있음. 팽창은 급격하고 수축은 완만[來盛去衰]	실열증[熱邪亢盛]
	유濡	부浮하면서 가느다람	허증, 습증
	산散	부산浮散하면서 무근無根, 박동이 불규칙	원기가 끊김, 장부의 기운이 끊김
	규芤	부대浮大하면서 속이 비어 있어 파 줄기를 누르는 것 같음	실혈失血, 상음傷陰
	혁革	부浮하면서 손가락에 세게 부딪힘. 속은 공허하고 바깥은 힘이 있어 북의 가죽을 누르는 것 같음	정혈휴허精血虧虛
침맥류	침沈	가볍게 누르면 잡히지 않고 세게 눌러야만 잡힘	이증裏證
	복伏	세게 눌러 뼈에 닿아서야 맥박이 느껴짐	사기의 폐색[邪閉], 궐厥, 극심한 통증
	뇌牢	깊게 누르면 힘이 있고 굵으며 팽팽하고 위 아래로 길게 잡힘[實大弦長]	이한증, 산기疝氣, 징가癥瘕
	약弱	부드럽고 가늘며 맥위가 깊음[柔細而沈]	기혈양허증
지맥류	지遲	맥박이 느려 1호흡에 4회에 못 미침	한증
	완緩	1호흡에 4회 정도이나 비교적 천천히 뜀(60~72회/분)	습증, 비위의 허증
	삽澁	팽창 수축이 뻑뻑하고 껄끄러워 칼로 대나무를 긁는 것 같음	기체혈어증, 정·혈의 휴손
	결結	맥박이 빨랐다 느렸다 하며 간헐적으로 정지하되 정지 시기가 불규칙함	음허기결陰虛氣結, 한담혈어寒痰血瘀, 기혈허쇠氣血虛衰
삭맥류	삭數	맥박이 빨라 1호흡에 5회 이상	열증, 허증
	촉促	맥박이 빠르고 때로 정지하되 정지 시기가 불규칙	실열증, 기체·혈어·담음·식적
	질疾	1호흡에 7회 이상 박동하며 팽창이 급격	양극음갈陽極陰竭, 원기장탈元氣將脫
	동動	맥의 모양이 콩과 같이 톡톡 튀며 활삭유력滑數有力	동통, 공恐·경驚
허맥류	허虛	손가락을 들면 무력하고, 누르면 공허함	허증. 대부분 기혈양허증
	미微	아주 가늘고 부드러워서 있는 듯 없는 듯 하고 박동수도 가늠하기 어려움	심한 기혈양허증·양허증
	세細	맥이 실과 같이 가늘지만 뚜렷하게 나타남	기혈양허증. 제반 허증. 습증
	대代	맥박이 때로 정지하되 정지 시기가 일정(주기가 있음)	장기쇠미臟氣衰微, 타박상
	단短	맥장脈長이 짧아 촌관척 전체에 맥이 나타나지 않음	기체증(맥동이 강할 경우), 기허증(맥동이 약할 경우)

실맥류	실實	가볍게 눌러도 충실한 느낌, 깊게 눌러도 힘이 있음	실증
	활滑	팽창 수축이 빠름. 쟁반에 구슬이 구르는 것 같음	담음, 식적 / 실열증
	긴緊	긴장유력緊張有力. 동아줄을 꼬아 놓은 것 같음	한증 / 식적, 동통
	장長	맥이 곧고[首尾端直] 촌관척을 벗어나서도 맥동이 잡힘	양기가 충분 / 열증
	현弦	맥이 곧고 길다[端直而長]. 가야금 줄을 누르는 것 같음	간담의 제반 증후, 통증, 담음, 학질, 허로 등

표의 내용에 근거하여 두 가지 비슷한 맥을 비교하면 각 맥상의 특징을 찾기는 그다지 어렵지 않음

① 부맥浮脈과 허맥虛脈, 규맥芤脈, 산맥散脈 : 네 가지 맥 모두 얕은 곳에서 나타남. 그러나 부맥은 살짝 누를 때 맥박이 분명하고 깊이 누르면 조금씩 줄어들지만 공허해 지지는 않고 맥의 대소 역시 중간 정도. 허맥은 살짝 누를 때에도 힘이 없고 깊이 누를 때는 공허함. 규맥은 부대浮大하면서 속이 비어 있어 파 줄기[葱管]를 누르는 것 같음. 산맥은 조금 힘을 주면 소실됨

② 침맥沈脈과 복맥伏脈, 뇌맥牢脈 : 세 가지 맥은 모두 깊은 곳에 나타나고, 가볍게 짚으면 잡히지 않음. 다른 점은, 복맥의 경우 침맥보다 더 깊은 곳에 있어 침맥이 잡히는 깊이[중안重按]에서도 잡히지 않고 근육을 밀어 뼈의 위치에서야 맥이 잡힘. 뇌맥의 경우에는 침맥이 잡히는 위치에서 잡히나 실實·대大·현弦·장長의 특성을 겸하고 있어 단단하게 잡힘

③ 지맥遲脈과 완맥緩脈 : 지맥은 한 번 호흡에 4번 박동에 이르지 못하며(분당 맥박수 60회 이하), 완맥은 다소 느리지만 한 번 호흡에 대략 4번 박동하며(분당 맥박수 60~72회) 부드러움

④ 삭맥數脈과 활맥滑脈, 질맥疾脈 : 삭맥은 맥의 박동수가 증가한 것이고 활맥은 맥의 왕래, 즉 맥관의 팽창 수축이 빠른 것[往來流利]. 삭맥과 질맥은 모두 박동수가 정상보다 증가(90회/분 이상)한 맥이나 질맥이 삭맥보다 더 빠름(140회/분 이상)

⑤ 실맥實脈과 홍맥洪脈 : 두 가지 맥 모두 박동에 힘이 있음. 홍맥은 파도가 용솟음치는 것 같이 손가락에 가득히 맥박이 느껴지되 팽창의 기세가 강한 반면 수축할 때는 힘이 없고[來盛去衰] 가볍게 짚었을 때 뚜렷이 나타남. 실맥은 단단한 느낌이 있고 팽창할 때나 수축할 때나 모두 힘이 있음[來去俱盛].

⑥ 세맥細脈과 미맥微脈, 약맥弱脈, 유맥濡脈 : 네 가지 모두 가늘고 약한[細少而軟弱] 맥임. 세맥은 가늘어도 뚜렷하게 나타나고, 미맥은 매우 가늘고 약하여 누르면 끊어질 듯하고, 있는 것 같기도 하고 없는 것 같기도 해서 오르내림이 모호함. 약맥은 가라앉아 있고(심부에서만 촉지됨) 힘이 없음. 유맥은 부세浮細하면서 무력하여 맥위脈位가 약맥과 상반됨

⑦ 규맥芤脈과 혁맥革脈 : 두 맥은 모두 중간이 비어 있는 느낌. 그러나 규맥은 파의 줄기를 누르는 것과 같이 그 맥관이 연약하게 나타나고, 혁맥은 북의 가죽을 누르는 것처럼 그 맥관이 비교적 단단하게 나타남

⑧ 현맥弦脈과 장맥長脈, 긴맥緊脈 : 현맥과 장맥은 모두 촉지되는 길이가 김. 그러나 장맥은 촌관척寸關尺 3개 부위를 넘을 만큼 그 길이가 확연히 길고 팽팽한 성질이 없음. 반면 현맥은 촉지 길이가 길되 촌관척 3개 부위를 포괄할 정도이며 가야금 줄을 누르는 것과 같이 단단하거나 팽팽한 느낌이 수반됨. 현맥과 긴맥은 모두 팽팽한 느낌을 주는 맥이나 현맥은 박동이 촉지되는 부위가 곧은 모습을 보이면서 촌관척 3개 부위에 고루 잡히고[端直而長] 가느다랗게 촉지되는 반면 긴맥은 비교적 굵게 잡히고 힘이 있되 현맥의 '단직이장端直而長'한 특성은 없음

⑨ 단맥短脈과 동맥動脈 : 두 가지 모두 맥이 촉지되는 길이가 비교적 짧음. 그러나 동맥은 활맥, 삭맥의 특성을 겸하고 있으며 유력. 반면 단맥은 지맥일 수도 있고 삭맥일 수도 있으며 힘이 약함

⑩ 결結, 대代, 촉맥促脈 : 모두 리듬이 비정상적이고 때때로 멈추는 맥상임. 그러나 결맥, 촉맥은 불규칙적인 간격으로 멈추고 멈추는 시간이 짧음. 반면 대맥은 규칙적으로 멈추고 그 시간이 비교적 김. 한편 결맥과 촉맥은 모두 불규

칙적으로 멈추지만, 결맥은 그 박동수가 정상(평맥, 완맥)이거나 그 이하(지맥)이고 촉맥은 박동수로 볼 때 삭맥에 속함

대거법對擧法 반대되는 맥상을 대비하여 맥상을 감별하는 방법

① 부맥浮脈과 침맥沈脈 : 맥위脈位의 천심淺深이 상반되는 맥상. 부맥의 맥위는 얕아서 가볍게 누르면 잡히며 표表를 주관하고 양陽에 속함. 침맥의 맥위는 깊어서 가볍게 누르면 나타나지 않고 깊게 눌러야[重按] 촉지할 수 있는데 이裏를 주관하고 음陰에 속함

② 지맥遲脈과 삭맥數脈 : 맥률脈率의 쾌만快慢이 상반되는 맥상. 지맥의 박동은 정상맥보다 늦어 1회 호흡에 4회의 박동[一息四至]에 미치지 못하며 한寒을 주관함. 삭맥의 박동은 정상맥보다 빨라 1회 호흡에 5회[一息五至] 이상이 되고 열熱을 주관함

③ 허맥虛脈과 실맥實脈 : 맥박脈搏의 강약强弱이 상반되는 맥상. 허맥은 촌관척寸關尺의 부위와 부중침浮中沈의 맥위에 무관하게 모두 무력하게 잡히며 허증虛證을 주관함. 실맥은 촌관척의 부위와 부중침의 맥위에 무관하게 모두 힘이 있게 잡히며 실증實證을 주관함

④ 활맥滑脈과 삽맥澁脈 : 맥脈의 유리도流利度가 상반되는 맥상. 활맥은 왕래往來가 매끄러워[流利] 구슬이 구르는 듯하며, 삽맥澁脈은 왕래가 원활하지 못하여[艱難滯澁] 칼로 가볍게 대나무를 긁는 것 같음

⑤ 홍맥洪脈과 세맥細脈 : 맥체脈體의 관도寬度와 기세氣勢가 상반되는 맥상. 홍맥은 맥이 굵고 충실유력充實有力하되 팽창은 힘이 있고 수축은 힘이 없게 느껴짐[來盛去衰]. 세맥은 맥이 실 같이 가늘어 맥력脈力에 차이가 있지만 누르면 뚜렷하게 나타남

⑥ 장맥長脈과 단맥短脈 : 맥기脈氣의 장단長短이 상반되는 맥상임. 장맥의 박동은 촌관척寸關尺 세 부위를 넘어서까지 촉지되며, 단맥은 맥기脈氣가 미치는 범위가 협소하여 앞 쪽으로는 촌부寸部에 이르지 못 하고 뒤 쪽으로는 척부尺部에 이르지 못 함

⑦ 긴맥緊脈과 완맥緩脈 : 맥의 긴장도가 상반되는 두 가지 맥상. 긴맥은 팽팽하고 힘이 있어 꼬인 밧줄을 누르는 것 같은 반면 완맥은 부드럽고 느슨함

▶ 맥상의 상겸

28가지 맥 중 어떤 맥상은 부浮, 침沈, 지遲, 삭數 등과 같은 단일 특정맥特定脈에 속함. 어떤 맥은 원래 복합맥으로서 몇 가지 단일 특정맥이 합쳐진 것인데 예를 들어 약맥弱脈은 허虛, 침沈, 세세 3개의 맥이 합쳐진 것이고, 유맥濡脈은 허虛, 부浮, 세細의 3개 맥이 합쳐진 것이며, 뇌맥牢脈은 침沈, 실實, 대代, 현弦, 장長의 5개 맥이 합쳐진 것 등임

소위 상겸맥相兼脈이라 함은 두 가지나 두 가지 이상 단일, 복합 맥상이 서로 겸하여 나타나는 맥. 이러한 상겸맥상相兼脈象의 주병主病은 일반 맥 각각의 주병의 총체總體와 같음. 예 ☞ ① 부맥浮脈은 표表를 주관하고, 삭맥數脈은 열熱을 주관하므로 부삭맥數脈은 표열表熱을 주관 ② 부맥은 표를 주관하고, 긴맥緊脈은 한寒을 주관하므로 부긴맥浮緊脈은 표한表寒을 주관 ③ 부삭맥浮數脈이면서 무력한 맥은 표허열증表虛熱證을 주관 ④ 침지맥沈遲脈이면서 유력한 맥은 이실한증裏實寒證을 주관.

나머지도 유사하게 추측할 수 있음. 임상에서의 질병 정황은 복잡하므로 상겸맥은 흔히 볼 수 있음. 임상에서 자주 보이는 상겸맥과 그 주병主病은 아래와 같음

① 부긴맥浮緊脈 : 표한증表寒證, 한습비증寒濕痹症

② 부완맥浮緩脈 : 표허증表虛證

③ 부삭맥浮數脈 : 표열증表熱證

④ 부활맥浮滑脈: 표증表證에 담痰이 있는 경우 또는 풍담증風痰證

⑤ 침지맥沈遲脈: 이한증裏寒證

⑥ 현삭맥弦數脈: 간열증肝熱證

⑦ 활삭맥滑數脈은: 열증熱證에 담음, 습, 식적이 상겸相兼된 경우

⑧ 홍삭맥洪數脈: 기분열증氣分熱證

⑨ 침현맥沈弦脈: 간기울결증肝氣鬱結證, 한체간맥증寒滯肝脈證 또는 수음내정水飮內停

⑩ 침삽맥沈澁脈: 혈어증血瘀證. 특히 양허陽虛나 한응寒凝으로 혈어증이 된 경우

⑪ 현세맥弦細脈: 간신음허증肝腎陰虛證, 간울혈어증肝鬱血瘀證이나 간울비허증肝鬱脾虛證

⑫ 침완맥沈緩脈: 비허脾虛, 수습水濕의 정체

⑬ 세삭맥細數脈: 음허증陰虛證

⑭ 현활삭맥弦滑數脈: 간기울결에 담이 상겸된 경우, 풍양상요風陽上擾, 담음내정痰飮內停 등

▶ **괴맥怪脈** 위신근胃神根의 속성이 없는 맥상을 진장맥眞臟脈이라고도 하고, 괴맥怪脈, 패맥敗脈, 사맥死脈, 절맥絶脈이라고도 함. 병의 후기에 많이 볼 수 있는데 장부의 기가 쇠약해지고 위기胃氣가 쇠퇴衰退하고 끊기는 병증임. 고대 의가들은 진장맥眞臟脈을 다음과 같은 7종 맥상, 즉 "칠절맥七絶脈"으로 귀납했고, 임상에서 가끔 보임

부비맥釜沸脈 맥이 피부에 있으며 극히 부삭浮數한 것으로, 지수불청至數不清하여 마치 가마솥에서 물이 끓는 것과 같이, 뜨고 넘치며 근根이 없음. 삼양三陽의 열熱이 극심極甚하고 음액陰液이 없는 증후로 대부분 죽기 전의 맥상이 됨

어상맥魚翔脈 맥이 피부에 있는데, 머리는 가만히 있으나 꼬리는 흔들면서 그것이 있는 듯 하고 없는 듯도 한 것으로서, 물고기가 물 안에서 움직이는 것 같은 맥상. 삼음한극三陰寒極, 양망어외陽亡於外의 증후임

하유맥蝦游脈 맥脈은 피부에 있으면서 새우가 물 안에서 헤엄치는 것 같이 갑자기 튀어 올랐다가 잠깐 오는 급한 모양과 같음. 고양무의孤陽無依, 조동불안躁動不安한 증후가 됨

옥루맥屋漏脈 맥脈이 근골간筋骨間에 있으면서 집에 물이 새는 것과 같아 한참 만에 한 방울씩 떨어지는 것과 같이 맥이 늦고 결대結代하며 박동이 무력함. 위기胃氣, 영위營衛가 모두 절절한 상태

작탁맥雀啄脈 맥脈이 근골간筋骨間에 있으면서 급삭急數하게 이어져 세 번 다섯 번 조화롭지 않게 다시 뛰는 것이 마치 참새가 모이를 쪼는 것과 같음. 위기胃氣가 쇠약衰弱하고 정기精氣가 이미 안으로 절절한 것

해삭맥解索脈 맥脈이 근골간筋骨間에 있으면서 소疏하기도 하고, 밀密하기도 하여 어지럽게 꼬인 밧줄을 푸는 것과 같음. 때로는 빠르고 때로는 늦으며 어지럽고 무질서한 맥상. 신장腎臟과 명문命門의 원기元氣가 절절한 것

탄석맥彈石脈 맥脈이 근골筋骨 아래에 있으면서 마치 탄석彈石을 만지는 것 같이 벽벽辟辟하게 느껴지는 것이 조금도 유연화완柔軟和緩하지 않은 모양임. 신기神氣가 절절하는 상

현대의 연구와 임상 경험에 따르면 진장맥眞臟脈은 대부분 심박의 리듬이 비정상적인 맥상에 속하는데 그 중심의 장기臟器에 따르는 병변病變이 대부분을 차지하고 있어, 진장맥眞臟脈의 출현은 질병이 이미 발전하고 아주 심한 단계에 있다는 것을 보여 주는 것이지만 반드시 죽거나 치료하지 못 하는 증세는 아니므로 치료법을 구하는 최대의 노력을 해야만 함

▶ **부인과 영역의 맥진**

부인과 영역 맥진의 특수성 부인은 경經, 대帶, 태胎, 잉孕, 산産 등 특이한 생리변화와 관련된 병이 있으므로 맥상도 그 변화에 상응하여 나타남

월경전 진단 월경기의 맥상에 관해 몇 가지 상이한 주장이 있음 ☞ ① 부녀의 좌측 관맥關脈과 척맥尺脈이 오른손의 관·척맥보다 홍대洪大하며, 구불고口不苦, 신불열身不熱, 복불창복不脹하면 월경이 시작되려는 징후. 월경 기간에는 기혈氣血이 조화롭게 되므로 맥이 활삭滑數으로 나타남 ② 좌척左尺이 현현하거나 좌관척左關尺이 현하게 나타남. 때로 우척도 현하게 나타나는 경우도 있으나 반드시 좌척에 같이 현맥이 나타남. 월경이 시작되면서 맥이 활삭滑數하게 변함 ③ 월경 초기에는 특별한 변화가 없음. 평맥平脈. 월경 중기에는 활맥滑脈이 나타남. 월경 말기와 월경이 그친 후에는 세맥細脈이 보임.

촌맥寸脈과 관맥關脈은 조화를 이루나 척맥尺脈은 끊어져 촉지되지 않는 경우는 월경이 잘 이르지 못함. 여자의 폐경閉經에는 허실의 구분이 있음. 척맥이 허세삽虛細澁한 것은 정혈精血이 휴손虧損한 허증. 척맥尺脈이 현삽弦澁하고 유력有力하면 사조포궁邪阻胞宮한 실증

임신맥의 진단 여자가 결혼 후 월경이 멈추고 맥상이 활삭충화滑數沖和하되 척맥尺脈에서 이러한 특징이 특히 두드러지며 먹고 마시는 것에 이상이 생기고, 구토 등의 증상이 있으면 임신姙娠의 징후. 단 오후에 자고 처음 일어났을 때 맥이 활질滑疾하고 유력有力하면 임신맥으로 진단하지 않음. 임신맥姙娠脈은 반드시 같은 병맥과 서로 감별해야만 함. 노손勞損, 적취積聚 등에서 월경의 중지가 보일 수 있으나 노손勞損의 맥은 허세虛細나 현삽弦澁이 많이 보이고, 적취積聚의 맥은 현긴삽결弦緊澁結이나 침복沈伏이 많이 보임. 임신기의 맥상은 시기별로 조금씩 차이를 보임.

사태死胎의 진단 임신 시 양기陽氣가 단전丹田에서 움직이고, 맥이 침활沈滑하는 것이 보여야 태아가 원만하게 크고 있다고 할 수 있음. 만약 맥이 침삽沈澁하고 정혈精血이 부족不足하면 임신에 이상이 있다고 볼 수 있음. 임신 기간 동안 맥상이 침沈하면서 유리流利·유력有力하면 양기가 잘 흐르는 것으로 임신이 정상임을 나타냄. 만약 맥이 침하면서 삽체핍력澁滯乏力하면 임신에 이상이 생기거나 태아가 죽었음을 나타냄

출산시의 맥상 임산부가 분만할 때에는 맥상에 변화가 생김. 하나는 척맥尺脈이 긴급이삭緊急而數하게 되는 것이며, 다른 하나는 중지中指 끝마디의 양측 수지동맥 맥동이 비교적 강해지는 것

▶ 소아과 영역의 맥진

소아의 맥과 성인의 맥은 다른데, 소아는 요골동맥 박동 촉지 부위가 아주 작아서 촌관척寸關尺을 구분하기 어려움. 게다가 소아는 진단 시 자주 놀라고 움직이고 울어서 맥기脈氣가 그에 따라 어지러워지므로 제대로 파악하기가 어려움. 따라서 소아는 식지食指의 낙맥絡脈을 보고, 사진합참四診合參을 특히 잘 활용해야 하며 맥진을 할 경우에도 성인과 다른 방법을 적용

일지삼부진법一指三部診法 왼손으로 소아의 손을 잡고, 3세 이하의 아이에게는 오른손의 엄지손가락으로 고골高骨의 맥을 누르고, 세 부분으로 나누어 호흡에 따라 맥박수를 셈. 4세 이상의 소아에 대해서는 고골高骨 가운데 선이 관關이 되므로 한 손가락으로 양쪽을 돌려 세 부분을 찾고, 7세 이상은 엄지를 눌러 3부분을 진맥함. 9~10세 이상은 차례대로 촌관척寸關尺 부위에 따라 진맥함. 15세 이상은 성인의 삼부진법三部診法에 따라 맥진을 시행

소아의 맥상과 주병主病 3세 이하는 일식一息에 7, 8지至가 평맥平脈이고, 5, 6세는 6지至가 평맥이며, 7지至 이상이 삭맥數脈이고, 4, 5지至는 지맥遲脈임. 부침浮沈, 지삭遲數, 강약强弱, 완급緩急을 진단하여 음양한열표리陰陽寒熱表裏, 사정성쇠邪正盛衰를 변별하는 데 그치고 28맥을 상세하게 구하지는 못 함. 부삭浮數이 양陽이 되고, 침지沈遲가 음陰이 됨. 강약强弱으로 허실虛實을 추측할 수 있고, 완급緩急으로 사정邪正을 추측할 수 있음. 삭數은 열열熱이 되고 지遲는 한한寒이 됨. 침활沈滑은 담음痰飮·식적食積이 되고, 부활浮滑은 풍담風痰이 됨. 긴급緊急은 한寒을 주관하고, 화완和緩은 습습濕을 주관하는데, 크기가 가지런하지 않은 것은 적체積滯가 됨. 소아의 신기腎氣가 가득하지 않으면 맥기脈氣가 중후中候에 그침. 어떠한 맥도 상관없이 중안重按해도 나타나지 않음. 만약 중안重按했을 때 나타나면 성인의 뇌실맥牢實脈과 같다고 볼 수 있음

▶ **맥진의 임상적 의의**

병위와 병성의 구별 병의 천심淺深(표리表裏)은 맥의 부·중·침으로 알 수 있고 이환 장부는 촌·관·척으로, 병의 성질은 맥상으로 구별. 질병의 성질은 한열寒熱, 허실虛實을 벗어나지 않는데, 지맥遲脈, 긴맥緊脈은 한증寒證을 주관하고, 삭맥數脈, 활맥滑脈은 열증熱證을 주관하고, 허虛, 약弱, 세細, 미微와 같은 맥상은 정기精氣가 부족한 허증虛證을 나타내고, 실實, 홍洪, 현弦, 장長과 같은 맥상은 사기邪氣가 항성亢盛한 실증實證을 나타냄

병인과 증상의 추측 『소문·경맥별론素問·經脈別論』에서 "사람의 기거 상황과 동정動靜, 용겁勇怯에 따라 맥은 어떻게 변하는가? …… 무릇 사람의 경공驚恐, 에로恚勞, 동정動靜에 따라 맥은 변한다"고 하여 각각의 병인病因이 그에 상응한 맥상의 변화를 초래함을 설명. 장기적으로 우울하고, 정서가 쾌통하지 못 하면 맥은 현삽弦澁하고, 과식과음過食過飮하여 식체食滯하면 맥은 활삭滑數함. 동시에 어떤 병증의 맥상은 일정한 특수성과 방향성을 가지는데, 이러한 맥상으로 구체적인 병증의 명칭까지 추측할 수 있음. 예를 들어 『금궤요략·흉비심통단기병맥증치金匱要略·胸痺心痛短氣病脈證治』에서 "맥이 양미음현陽微陰弦하면 가슴이 저리고 아프다"고 하였는데 "양미陽微"라는 것은 관전關前(촌부寸部)의 맥이 약해진 것을 말하고 흉양부족胸陽不足하다는 것이며 "음현陰弦"이라는 것은 관후關後(척부尺部)의 맥이 현급弦急하여 음사내성陰邪內盛하다는 것. 두 가지가 합쳐지면 상초上焦에서는 양허陽虛하고 하초下焦에서는 음사陰邪가 허를 틈타 역상[乘虛衝逆]하므로 "흉비이통胸痺而痛"하게 됨. 또 같은 책의 『수기병水氣病』편에서 말한 "촌구맥寸口脈이 침지沈遲하면 침沈은 수水, 지遲는 한寒에 해당한다. …… 소양맥少陽脈은 비비하고(위축되고 힘이 없음) 소음맥少陰脈은 세細하면 남자는 소변이 잘 나오지 않고 여자는 월경이 나오지 않는다"는 진술 역시 맥으로 병을 추측한 예

질병의 진퇴와 예후 판단 맥상의 동태 변화를 통해 질병의 진퇴와 예후를 추측할 수 있는데, 일정한 임상적 가치가 있음. 구병久病에 맥이 점점 부드럽고 유력有力하면 위기胃氣가 점차 회복되는 것이며 병이 물러나고 점점 좋아진다는 것임. 허로虛勞, 실혈失血, 구설久泄 등의 병에 갑자기 홍洪·실實·규芤·혁革 등의 맥이 나타나면 사성정쇠邪盛正衰의 위급한 상황. 외감열병에서 열세가 점차 쇠퇴하면 맥상은 완화緩和한 성질로 바뀜. 맥이 급삭急數하며 환자에게 번조煩躁의 증상이 보이면 병이 더 심해지는 것. 반면 전한戰汗, 한출汗出이 있지만 맥이 비교적 안정되어 있고 열퇴신량熱退身凉하면 병이 조금씩 물러나는 것임. 만약 맥이 매우 빠르고 고열이 낮지 않은 자는 병이 위급한 상태에 들어선 것.

▶ **맥脈·증症의 순역順逆**

증상에 걸맞은 맥상이 출현하면 순증, 증상에 걸맞지 않은 맥상이 출현하면 역증으로 판단. 예) 실증實證에 홍맥, 삭맥 → 순順. 치료하기 쉽고 예후도 비교적 좋음 / 실증에 세맥, 허맥 → 역逆. 치료하기 어렵고 예후도 나쁨

병의 완급緩急·신구新舊에 따른 맥의 역순

① 급성 질환: 부맥, 홍맥, 삭맥, 실맥이면 순順. 침맥, 미맥, 세맥, 약맥이면 역逆

② 만성 질환: 침맥, 미맥, 세맥, 약맥이면 순順. 부맥, 홍맥, 삭맥, 실맥이면 역逆

병의 표리에 따른 역순

① 표증에 부맥이면 순順, 침맥이면 역逆

② 리증에 침맥이면 순順, 부맥이면 역逆

병의 진행시간에 대한 역순

① 신병에 부·삭·실맥이면 순順, 침·미·허맥이면 역逆

② 오래된 병에 침·미·허맥이면 순順, 부·삭·실맥이면 역逆

▶ **맥脈 · 증症의 종사從舍**

맥상과 증상의 진가眞假 질병은 원인에 의해 일정한 형태의 병리적 현상을 나타내지만 매일 나타나는 증상의 변화는 질병의 전체적 병리와 일치하지 않는 경우도 있음. 맥은 현재의 상태를 반영하는 것이므로 질병의 전체적 병리와 다른 경우를 감별해야 함. 전체적인 병리와 일치하는 증상과 맥이 진상眞象, 그렇지 않은 것이 가상假象이라 할 수 있음. 즉 증상이 진상眞象을 표현하는데 맥은 가상假象을 표현하거나 맥이 진상을 표현하는데 증상이 가상을 표현하는 경우가 있으므로 맥脈과 증症의 진가眞假로써 취사를 결정해야 함: 증상을 따를 것[舍脈從症]인지 맥을 따를 것인지[舍症從脈]를 결정

① 증상을 기준으로 진단[舍脈從症]: 증상이 진상, 맥상이 가상을 나타내는 경우. 예) 복부의 창만 동통이 있되 거안拒按하고 대변이 굳으며[大便燥結] 혀는 홍설이고 설태는 황후초조黃厚焦燥한데 맥이 지세遲細한 경우: 위장의 실열實熱. 지맥은 한寒을 나타내는데 증상은 실열증의 증상이므로 서로 모순. 증상이 진상, 맥이 가상 → 맥을 버리고 증상을 따름

② 맥을 기준으로 진단[舍症從脈]: 증상이 가상, 맥상이 진상을 나타내는 경우. 예) 외감열병에 사지궐냉四肢厥冷이 있으면서 흉복부의 조열燥熱, 구갈음냉口渴飮冷, 심번心煩, 요황尿黃, 설홍舌紅, 태황조苔黃燥한 증상 · 소견이 동반되는데 맥이 활삭滑數한 경우: 소수의 증상만이 한을, 대부분의 증상과 설진, 맥진 소견은 열을 나타냄. 열이 진상. 열이 체내에 갇힌 채 사지에만 한상寒象이 나타난 경우임 → 증상을 버리고 맥을 따름

2 안진

▶ **안진(촉진)이란** 안진按診(촉진觸診)은 의사가 환자의 근육, 피부, 수족, 흉복 등의 병변부위에 촉지觸知나 안압按壓의 방법으로 병변 부위의 한열寒熱, 활삽滑澁, 경도硬度, 압통壓痛, 비괴痞塊를 탐측探測하고, 혹 기타 이상 변화를 알아내어 질병의 부위와 성질을 진단하는 방법. 안진은 맥진, 설진 못지 않게 중요한 진단법으로 임상 각과에 중요한 진단 근거를 제시하는 방법.

▶ **안진의 주의 사항** 진단자의 손이 따뜻해야 하고, 손의 힘이 적당해야 하며 주의를 집중해야 함

▶ **이마의 안진**

의의 이마[額部]는 심心에 속하므로 이마의 한열寒熱을 안진按診하여 심양心陽의 성쇠盛衰를 알 수 있음

방법 ① 환자를 검사할 때 의사는 자신의 손바닥을 환자의 이마에 대고, 환자에게 발열이 있는가의 여부를 탐측. 열이 있다면 열이 낮은지 높은지를 구별. ② 환자의 손바닥을 잡아서 대조. 수심열手心熱이 이마의 열보다 심하면 허열虛熱, 이마의 열이 수심열보다 심하면 외감표열증外感表熱證.

적용 대상 소아에게 주로 활용

> **이마의 안진에 대한 문헌 기록**

기록 『소문素問 · 자열론刺熱論』의 "肺熱病者, 左頰先赤; 心熱病者, 顔[額]先赤; 脾熱病者, 鼻先赤; 肺熱病者, 右頰先赤; 腎熱病者, 頤[顴下先赤」이란 구절을 보면, 적색이 열병을 주主하는데, 오장의 병에 적색이 드러날 때 각각의 오장과 상관된 구역의 면부에 나뉘어 나타난다는 내용을 제시하고 있다.

해석 이마는 심心에 속하는데, 이 곳의 한열을 보면 심양心陽의 성쇠盛衰를 탐측할 수 있다. 양기는 온후溫煦함을 주主하기 때문에 각종 원인에 의하여 양기가 부족하게 되어 정상적인 온후작용溫煦作用을 잃게 되면 이마가 차갑게 된다. 즉 양성陽盛하면 열熱하고 양허陽虛하면 한寒하게 된다고 할 수 있다.

액맥안진額脈按診 한편 활유구의活幼口議(1294)에는 소아의 이마를 만져보아 부위별로 열을 평가하는 진단법이 등장하며 이후 주로 소아과 영역에서 활용되었다. 우리나라의 『동의보감(1613)』과 『의문보감(1724)』에도 수록됨.

▶ 두경부의 안진

신문의 안진 영아의 신문囟門을 살짝 만져서 돌기처럼 너무 튀어나오지 않았는지, 아니면 움푹 들어가지 않았는지를 주의 깊게 관찰 ① 돌기처럼 튀어나온 경우는 간풍내동肝風內動. 경련성 질환의 징조임 ② 신문이 움푹 들어갔다면 진액휴손津液虧損

경부의 안진 ① 종괴의 촉지: 경부의 안진을 통해 종괴가 있는가를 살피고, 만일 종괴가 촉지된다면 기질적 병변 유무를 검진할 것을 권장. 종괴의 압통壓痛 유무, 대소大小, 연경軟硬 등을 자세히 파악하고, 주변 조직으로 파급되는 정도를 파악하여 담핵痰核, 나력瘰癧, 종양의 존재와 전이 여부, 염증성 임파선종대의 존재 등을 예측 ② 근육의 촉지: 경부의 근육경결 여부를 탐측하고 경락순환체계에 따른 경근이론과 결합하여 변증에 활용. 주로 상부 승모근, 흉쇄유돌근, 사각근 등을 살핌 ☞ 상부 승모근은 족태양경근과 관련 / 흉쇄유돌근과 사각근은 족양명경근과 관련

▶ 척부尺膚의 안진

촌구寸口의 절맥切脈과 척부尺膚의 안진을 서로 참고하고 종합적으로 분석하여 병위病位의 심천深淺과 병정病情의 발전, 증후의 한열 · 허실을 진단함

진단 부위 ① 완관절 내측의 주름[腕橫紋]으로부터 주관절 내측의 주름에 이르는 부위의 피부, 즉 척부尺膚를 촉지 ② 종적으로는 '상上', '중中', '이裏'의 3부로 나뉨. 촌구에 가까운 쪽이 '상', 척택尺澤에 가까운 곳이 '척리尺裏', 양부의 중간이 '중'이 됨 ③ 횡적으로는 '내', '외'의 2부로 나뉨. 어제魚際의 가장자리로부터 주관절(척택혈 부위)까지가 '외', 신문神門에서부터 주관절까지가 '내'가 됨

진단 방법 별도의 진단 순서를 정하지 않고 맥진을 시행할 때 함께 관찰. 반드시 맥진의 결과와 상호 대조하여 진단에 응용

해석 ① 부위에 따른 해석: 상부는 흉부 이상의 질환, 중부는 비위와 간담의 질환, 하부는 허리 이하의 질환을 반영 ② 피부의 습윤도와 거칠기에 따른 해석: 척부尺膚가 습윤하고 매끄러우며 부드러우면 병이 가벼운 상황. 외감풍사外感風邪의 경우에 많이 보임. 건조하고 거칠면 진액 · 혈의 고갈[津血虧損]인 경우가 많음. 척부가 두툼하면서 습윤하면 일음溢飮인 경우가 많음 ③ 피부의 한열에 따른 해석: 차가우면서 세맥細脈이 보이면 기허氣虛. 설사가 있음을 나타내는 소견일 수도 있음. 열이 심하면서 홍맥洪脈이 보이면 각종 열병. 처음 눌렀을 때 고열이 손끝에 느껴지는데 오래 지나서 점차 한냉감을 느낀다거나, 처음 눌렀을 때 냉감을 느끼는데 오래 지나서 점차 열감이 느껴진다면 모두 한열착잡寒熱錯雜의 증

척부진법에 대한 문헌 기록

내경의 기록 『소문素問 · 맥요정미론脈要精微論』에서 "尺內兩傍則季脅也。尺外以候腎, 尺裏以候腹。中附上, 左外以候肝, 內以候, 右外以候胃, 內以候脾。上附上, 右外以候肺, 內以候胸中, 左外以候心, 內以候膻中。前以候前, 後以候後。上竟上者, 胸喉中事也; 下竟下者, 少腹腰股膝脛足中事也"라고 하였는데, 이 문장에 대해 주석가들은 촌관척으로 나누어 맥을 보는 방법과 그 부위에서 살필 수 있는 장부의 증후로 보고 해석하는 경우가 대부분이었다.

왕빙의 해석 왕빙王冰은 "척내는 척택의 안(원위부)이다(尺內爲尺澤之內也)"라고 하여 비교적 본래의 뜻인 척부진법尺膚診法에 부합하는 주석을 하고 있다. 이는 척택尺澤이내로부터 완관절 횡문처橫紋處까지를 척리尺裏, 중부상中附上, 상부상上附上의 3부로 나누고 아울러 상부로는 상부의 질환을 살피고, 하부로는 하부의 질환을 살피는 원칙을 제시한 것이다.

난경의 기록 질병은 맥상의 변화를 일으키기 때문에 척부尺膚에도 그에 상응하는 변화가 있게 된다고 보고 있었으며, 『난경難經 · 십삼난十三難』에서는 "맥이 삭數하면 척부의 피부도 치밀하고 맥이 팽팽하면 척부의 피부도 팽팽하며 맥이 이완되어 있으면 척부의 피부도 이완되어 있고 맥이 껄끄러우면 척부의 피부도 껄끄러우며 맥이 매끄러우면 척부의 피부도 매끄럽다(脈數, 尺之皮膚亦數[數, 密也。≪孟子 · 梁惠王上≫見: "數罟, 不入洿池, 魚鼈不可勝食"]; 脈急, 尺之皮膚急; 脈緩, 尺之皮膚亦緩; 脈急, 尺之皮膚亦急; 脈滑, 尺之皮膚亦滑)"고 하였다.

▶ 근육과 피부의 안진

의의 ① 사기와 정기의 성쇠를 변별 ② 병위病位의 심천深淺을 살핌 ③ 진액의 존망存亡을 살핌

방법 ① 살이 풍부한 어느 한 곳을 정하여 피부의 한열寒熱, 윤조潤燥와 종창 여부를 살핌 ② 특수한 상황이 아닌 경우는 맥진할 때 척부尺膚를 함께 살피는 것이 편리 ③ 부종의 경우 발목 관절 내외측에 위치한 삼음교三陰交, 현종懸鐘 등의 부위에서 실시. 환자가 통증이나 부종의 위치를 명확히 지시할 수 있을 경우에는 이곳에서 가장 가까운 근육을 안진按診하여 부종, 압통, 발열의 유무를 확인

한열의 해석 ① 일반적으로 몸이 더운 것은 양성陽盛 몸이 찬 것은 양쇠陽衰 ② 처음 만졌을 때는 손에 닿는 느낌이 뜨거운데 오래 만지고 있을수록 감소하면 이 열은 표表에 있는 열 ③ 처음 만졌을 때 열이 심한데 오래 만지고 있을수록 더욱 심해지면 이는 사열邪熱이 이裏에서 치성熾盛하여 내외內外를 향하여 열이 뻗어 나오는[蒸發] 경우 ④ 처음 만졌을 때 열을 느낄 수 없는데, 오랫 동안 만지고 있을 때 손에 열감이 느껴지면 이는 습濕이 열을 막아서 내부에 잠복하게 한 결과

조습의 해석 피부의 활삽滑澁과 유한有汗 · 무한無汗의 상황을 촉지하여 진액津液의 손상여부를 판별 ① 피부가 매끄러우면서 부드러우면[柔潤] 진액이 손상되지 않은 것 ② 피부가 말라서 거칠어지면[苦澁, 甲錯] 음혈陰血이 이미 손상되었거나 어혈瘀血이 있는 경우 ③ 피부가 부어 누르면 함몰되어 일어나지 않으면 수종水腫(발목의 삼음교三陰交, 현종懸鐘 등의 경혈에서 확연) ④ 피부에 종창이 있지만 피부의 긴장감이 떨어지지 않아서 눌렀을 때 곧장 올라오고 흔적이 없다면 기종氣腫에 속함(수종水腫과 감별하기 위해 발목의 삼음교, 현종 부위에서 시행)

근육의 진단 통증을 호소하는 근육 중 살이 풍부한 근육을 선택하여 압통점의 존재여부, 경결점의 존재여부, 기능 이상여부, 방산통의 존재여부와 방향 등을 확인하고, 경근이론經筋理論을 근거로 분석하여 이를 진단에 참조

▶ 수족의 안진

의의 주로 수족의 발열여부를 확인. 수족의 온도는 주로 양기陽氣의 상태를 나타냄. 또한 질병의 성질, 사기와 정기의 성쇠盛衰 및 예후를 판단하는 데 활용

진단 - 일반적 진단 ① 수족의 온도가 정상이면 양기가 정상 ② 수족 모두 열이 난다면 양열항성陽熱亢盛 ③ 몸이 차면서 사지도 차가우면 양기허쇠陽氣虛衰 ④ 사지궐냉四肢厥冷(몸의 다른 곳에 비해서 현저하게 냉기가 느껴짐)이 있고 안색이 창백하다면 양기허쇠가 심한 것[陽氣衰竭] ⑤ 설사에 수족이 따뜻하면 양기가 쇠미하기는 하지만 비교적 가벼운 경

우이고, 수족이 모두 차면 비위의 양기가 허한 것으로 비교적 엄중한 경우 ⑤ 환자의 손바닥과 손등을 잡았을 때, 손등의 온도가 비교적 높고 환자 스스로도 발열로 고통스러워하며 이마를 잡았을 때도 열이 있다면 외감풍한外感風寒의 실증[邪氣盛] ⑥ 손바닥의 온도가 높고 전신적인 발열은 없다면 음허내열陰虛內熱

진단 - 소아의 수족 안진 ① 소아의 손바닥에서 열이 나는 것은 상식傷食, 식적食積일 가능성이 높음 ② 소아의 수족이 모두 차다면 양기허쇠陽氣虛衰 ③ 소아에게 고열이 있지만 손끝은 차다면 경기와 같은 경련성 질환에 대비해야 함 ④ 소아의 다섯 손가락 중 가운뎃손가락만 차갑다면 마진에서 발진이 시작되려는 징후인 경우가 많음 ⑤ 소아의 손바닥이 차가운데 손을 축 늘어뜨리고 있거나 주먹을 꽉 쥐고 있다면 병세가 엄중한 것. 난치에 속하는 경우가 많음

설사에 대한 수족 한열 안진의 의의

허한성 설사에서 환자의 수족이 더운지 찬지 관찰하여 질병의 발전추세와 예후를 변별할 수 있다.

내경의 기록 『영추靈樞·논질진척論疾診尺』에서 "(영아에게서) 대변에 적·청 부위가 나뉘어 있고 손설(소화되지 않은 음식을 쏟아냄)이 있으며 맥이 작을 경우 수족이 차면 치료가 어렵다. 손설이 있고 맥이 작지만 손발이 따뜻하면 설사가 쉽게 그친다(大便赤瓣[≪脈經·平小兒雜病證第九≫作"大便赤青瓣", 今從之。瓣, 爲辨解。], 飧泄, 脈小者, 手足寒, 難已; 飧泄, 脈小, 手足溫, 泄易已。)"라고 하였는데, 이는 설사를 할 때 혈변이 보이거나, 소맥小脈이 나타나면서 손발이 찬 경우는 양기허쇠陽氣虛衰의 상황으로 난치에 속하고, 설사에 소맥이 나타나면서 손발이 따뜻한 경우에는 양기가 회복되어 쉽게 치료된다는 것을 설명하는 구절이다.

상한론의 기록 『상한론傷寒論·변소음병맥증병치辨少陰病脈證并治』에도 이와 유사한 기재가 있는데, "소음병에 오한이 있으며 몸을 구부리고 있고 설사를 하며 손발이 싸늘해져 오는 경우는 치료할 수 없다(少陰病, 惡寒, 身踡而利, 手足逆冷者, 不治)", "소음병에 설사를 하였는데 만약 설사가 스스로 그치고, 오한이 있고 몸을 구부리고 누워있지만 손발이 따뜻한 경우는 치료할 수 있다(少陰病, 下利, 若利自止, 惡寒而踡臥, 手足溫者, 可治)"라고 하였다.

▶ 창양의 안진

방법 창양瘡瘍 부위를 만져 한열寒熱, 연경軟硬과 동통의 상황을 관찰 → 음증, 양증 어느 쪽에 속하는지와 고름[膿]이 있는지 없는지를 변별

진단 ① 촉진을 하였을 때 종창이 돌출되어 있고, 발열이 있으며, 통증이 극렬하여 누르는 것을 싫어하면 양증陽證 ② 촉진을 하였을 때 종창이 평탄하고, 열이 없으며, 통증이 심하지 않으면 음증陰證 ③ 눌렀을 때 단단하면서 통증이 심한 경우는 농膿이 완성되지 않은 상태 ④ 눌렀을 때 물컹거리면서 파동감이 느껴지면 농이 이미 완성된 상태

창양의 안진에 대한 문헌 기록

『금궤요략金匱要略·창옹장옹침음병맥증병치瘡癰腸癰浸淫病脈證并治』에서 "갖가지 종기에 대해 고름이 있는지 없는지 알고 싶으면 종기 위를 손으로 덮어 보라. 열이 있는 것은 고름이 있는 것이고 열이 없는 것은 고름이 없는 것이다(諸癰腫, 欲知有膿無膿, 以手掩腫上, 熱者爲有膿, 不熱者爲無膿)"라고 하였다.

▶ 흉부와 협부의 안진

자세와 방법 ① 환자의 자세: 위를 향한 자세에서 무릎을 굽히고 누움 ② 의사의 자세: 환자의 측면에 기립 ③ 손의 온도: 날씨가 추울 경우 진찰자의 손을 우선 따뜻하게 해야 함. 찬 손이 환자의 피부에 닿으면 순간적인 근육 연축이 발생할 수 있음 ④ 통증 부위에 대한 고려: 환자가 통증을 호소하는 곳이 있으면 우선 통증이 없는 부위부터 검사를 한 후에 통증이 있는 부위를 검사 ☞ 환자의 두려움 때문에 발생하는 반사적 복벽 긴장을 방지

흉협의 안진 ○ 흉협이란: 흉부의 양측과 계륵부季肋部를 의미. 겨드랑이로부터 아래로 제12늑골까지의 부위를 총칭. 족궐음간경과 족소양담경이 분포하는 곳 ① 흉협고만胸脇苦滿: 흉협부를 눌렀을 때 저항감이 있고 환자가 불편함을 호소하거나 동통이 있으며 자각적으로도 흉협이 그득하고 압박감이 있으며, 심하면 동통이 있어서 마치 노끈으로 흉협을 동여맨 것 같은 느낌이 있고, 구고口苦, 인건咽乾, 납매納呆 등의 증상을 겸하고 있다면 이는 소시호탕증小柴胡湯證. ② 양협창통兩脇脹痛: 환자가 양쪽 협부에서 팽창감과 함께 통증을 느끼며 심번心煩, 불안 등의 증상을 수반하고 있다면 이는 소요산증逍遙散證. ③ 늑간부위의 압통 및 타진통: 폐옹肺癰, 폐로肺癆, 흉협부의 수음水飮, 기타 흉부 외상 등에서 출현

허리虛里의 안진 좌측 유두 아래의 심첨 박동부를 허리虛里라고 함. 흉부의 안진에서 가장 중요한 부위. 박동이 너무 강하거나, 범위가 광범위하거나 불규칙하게 느껴진다면 정충怔忡, 경계驚悸를 수반하는 신경쇠약증이나 각종 심장병인 경우가 많음

전중膻中의 안진 심화항성心火亢盛이나 심의 화울[心火鬱結]에서 현저한 압통점을 형성

심하心下의 안진 ○ 심하란: 넓은 의미의 심하는 검상돌기 아래에서 배꼽까지의 상복부를 의미. 좁은 의미의 심하는 상복부를 세 구역으로 나누었을 때의 맨 위쪽을 의미 ① 심하비경心下痞硬: 심하를 눌렀을 때 저항감이 있고, 환자가 동통과 불쾌감을 느낌. 비痞는 기기조색氣機阻塞의 한 가지 표현. 심하비경과 함께 장명腸鳴, 오심惡心, 또는 설사[下利] 등이 동반되면 반하사심탕증半夏瀉心湯證 ② 결흉結胸: 심하를 눌렀을 때 저항감이 있고 통증이 강하며 누르는 것을 거부. 함흉탕류陷胸湯類의 적응증. 복만腹滿과 변비便秘를 수반하고 있다면 이는 장위조결腸胃燥結이 있는 것으로 승기탕류承氣湯類의 적용 범위 ③ 심하비, 허연무력虛軟無力: 누르는 것을 좋아하고 눌렀을 때 부드러우며 저항감이 없음. 심층이 부드럽고 속이 빈 듯이 느껴지는 경우는 위기胃氣가 허한虛寒한 것으로 이중탕증理中湯證 ④ 심하비, 진수음振水音: 눌렀을 때 부드럽고 진수음이 들리며 환자의 등을 눌렀을 때 위수胃兪 부위에 압통점이 있고 심장의 동계動悸를 수반하며 두훈頭暈, 목현目眩, 기상충흉氣上衝胸, 심신불안心神不安, 소변불리小便不利를 겸하고 있으면 심신양허心腎陽虛, 수습정취水濕停聚의 영계출감탕증苓桂朮甘湯證

▶ 복부의 안진

복부의 부위 구분 협하脇下 = 양측 계협季脇의 하부 / 좌복左腹, 우복右腹 = 배꼽 양측 / 소복少腹 = 배꼽 아래의 양측 / 소복小腹 = 배꼽 아래의 가운데

방법 복부를 촉지하여 종물, 동통, 창만 등을 확인. 만일 환자에게 복부의 만滿·통痛이 있다면 안진을 통하여 증의 허실虛實을 변별할 수 있음. *『금궤요략金匱要略·장만한산숙식병맥증치腸滿寒疝宿食病脈證治』에서는 "환자에게 복만 증상이 있는데 눌렀을 때 아프지 않은 것은 허증이고 아픈 것은 실증이며 실증일 때는 사하시킬 수 있다. 설태가 노란 것은 아직 사하시키지 않은 것이며 사하시키면 황태는 저절로 없어진다(病者腹滿, 按之不痛爲虛, 痛者爲實, 可下之。舌黃未下者, 下之黃自去。)"라고 함.

종괴의 진단 복부를 눌렀을 때 종괴가 있다면 부드러운지 딱딱한지와 모양과 부위가 고정되어 있는지의 여부를 좀 더 세밀히 살펴보아야 함 ① 종물腫物을 눌렀을 때 부드러워지고 심하면 흩어져 없어지며 부위가 일정하지 않은 것은 "가癥" 또는 "취聚". 기체氣滯에 의한 것 ② 종물이 눌렀을 때 더욱 딱딱해지고, 부위가 고정되어서 움직이지 않으면 "징癥"

또는 "적積". 어혈瘀血과 담痰·수水 등의 실사實邪가 결취結聚된 것 ③ 종괴가 협하脇下에 있고, 심하心下까지 이어져 있으며 경계가 분명하고 부위가 고정되어 움직이지 않는 것은 간비종대肝脾腫大. 『금궤요략金匱要略·수기병맥증병치水氣病脈證幷治』에는 "명치가 단단하되 그 면적이 접시만하고 주변이 달팽이 껍질과 같다(心下堅, 大如盤, 邊如旋杯[旋杯는 당시 吳지역의 방언])"고 표현 ④ 소복부少腹部를 눌렀을 때 노끈과 같은 물체가 느껴지면서 가볍게 눌렀을 때 환자가 바로 동통을 느끼며 아울러 위 아래로 방사통이 느껴진다면 소복급결少腹急結에 해당하는 것으로 어혈瘀血에 속하는 경우가 많고 도인승기탕증桃仁承氣湯證.

복통의 허실 진단 ① 눌렀을 때 점차 감소하면 허한증虛寒證 ② 눌렀을 때 통증이 극렬하면서 누르는 것을 싫어하면[拒按] 실증實證. 장석완張石頑(1617~1701?)은 "모든 통증에서 통증 부위를 눌렀을 때 통증이 심해지는 것은 혈이 실한 것이고 눌렀을 때 통증이 그치는 것은 기허氣虛·혈조血燥한 것이다(凡痛, 按之痛劇者, 血實也; 按之痛止者, 氣虛血燥也。)"(『형색외진간마形色外診簡摩』)라고 하였음

복만의 허실 진단 ① 눌렀을 때 작열감이 있으면서 복부가 경만硬滿, 거안拒按하거나, 좌하복부에 단단한 종괴가 있으면서 복통과 변비가 있고 맥이 침沈하면서 유력有力하면 대승기탕증大承氣湯證 ② 눌렀을 때 비어있는 듯하고 부드러우면서 실하지 않고 통증이 없는 것은 허만虛滿 ③ 눌렀을 때 빵빵하고 실하여 마치 주머니에 물이 차있는 것 같으며, 타진시 물소리와 파동감이 전달되고, 소변불리小便不利가 있는 것은 고창鼓脹. *『금궤요략金匱要略·복만한산숙식병맥증치腹滿寒疝宿食病脈證治』에서는 "복만에 안진을 하여 통증이 없는 것은 허증이고 통증이 있는 것은 실증으로서 (이 경우에는) 사하시킬 수 있다(腹滿, 按之不痛者爲虛, 痛者爲實, 可下之。)"라고 설명

▶ 수혈의 안진

배경 오장육부의 정기精氣가 혈위로 전달되기 때문에 장부에 병이 있으면 종종 수혈에 압통이나 이물감과 같은 반응이 수반됨. 『영추·배수背腧』에는 "이를 직접 확인해 보고자 한다면 그 부위를 눌러보라. 속에서 반응이 나타나고 통증이 풀어지는 곳, 그곳이 바로 그 혈위다(欲得而驗之, 按其處, 應中而痛解, 乃其腧也)"라고 하였음. 경락은 장부에 소속되어 "내부에 이상이 있으면 반드시 밖으로 그 이상 반응이 발현(有諸內者, 必形諸外:『丹溪心法』)되므로 장부가 속한 경락의 혈위에 압통이 있다면 해당 장부에 질병이 있다는 것을 예측할 수 있음.

방법 각 경락의 원혈, 낙혈, 복모혈, 배수혈을 주로 진단점으로 택하여 압통여부를 확인. 이는 진단점을 잡기 편리하

표 9-5. **십이경맥의 원혈, 낙혈, 배수혈 및 복모혈**

장부	경맥	원혈原金穴	낙혈絡穴	배수혈背腧穴	복모혈腹募穴
간	족궐음경足厥陰經	태충太衝	여구蠡溝	간수肝俞	기문期門 (족궐음경)
심	수소음경手少陰經	신문神門	통리通里	심수心俞	거궐巨闕(임맥)
심포	수궐음경手厥陰經	대릉大陵	내관內關	궐음수厥陰俞	단중膻中(임맥)
비	족태음경足太陰經	태백太白	공손公孫	비수脾俞	장문章門(족궐음경)
폐	수태음경手太陰經	태연太淵	열결列缺	폐수肺俞	중부中府(수태음경)
신	족소음경足少陰經	태계太溪	대종大鍾	신수腎俞	경문京門(족소양경)
대장	수양명경手陽明經	합곡合谷	편력偏歷	대장수大腸俞	천추天樞(족양명경)
소장	수태양경手太陽經	완골腕骨	지정支正	소장수小腸俞	관원關元(임맥)
삼초	수소양경手少陽經	양지陽池	외관外關	삼초수三焦俞	석문石門(임맥)
담	족소양경足少陽經	구허丘墟	광명光明	담수膽俞	일월日月(족소양경)
위	족양명경足陽明經	충양衝陽	풍륭豊隆	위수胃俞	중완中脘(임맥)
방광	족태양경足太陽經	경골京骨	비양飛揚	방광수膀胱俞	중극中極(임맥)

고, 각 장부의 이상을 가장 잘 반영하고 있으며, 해부학적으로도 해당 장부와 밀접한 곳에 위치하고 있기 때문(표 9-5를 참조).

배수혈과 복모혈의 진단 응용 ① 위수胃兪, 중완中脘의 압통 ☞ 위궤양, 만성위염 등 위장 질환 ② 폐수肺兪, 중부中府의 조상결절條狀結節과 압통 ☞ 기침, 천식, 흉통 ③ 심수心兪, 거궐巨闕의 능형결절稜形結節과 강한 압통 ☞ 심계, 상지내측의 통증 ④ 신수腎兪, 경문京門의 편평결절扁平結節과 압통 ☞ 양위陽痿, 요통, 이명, 월경부조. 능형결절과 함께 강한 압통이 나타나면 혈뇨, 수종, 신염, 신결핵 등 ⑤ 간수肝兪, 기문期門의 조상결절條狀結節과 강한 압통 ☞ 현훈, 불면, 만성간염 등. 능형결절과 함께 강한 압통이 보이면 간염, 담낭염 등 ⑥ 대장수大腸兪, 천추天樞의 결절과 압통 ☞ 변비, 복통, 치통 등

원혈과 낙혈의 진단 응용 ① 태연太淵, 열결列缺의 압통 ☞ 기침[咳嗽], 숨참[氣喘], 해혈咳血, 흉통胸痛 등 ② 합곡合谷, 편력偏歷의 압통 ☞ 두면부의 통증, 치통, 인통咽痛, 협종頰腫 등 ③ 충양衝陽, 풍륭豊隆의 압통 ☞ 두통, 치은통齒齦痛, 전광癲狂, 각종 열병 등 ④ 태백太白, 공손公孫의 압통 ☞ 복통, 설사, 이질 등 ⑤ 신문神門, 통리通里, 소부少府의 압통 ☞ 심통心痛, 저혈압, 심박동 감약 등 ⑥ 완골腕骨, 지정支正, 후계後溪의 압통 ☞ 두통, 이롱耳聾, 이명, 항강項强, 손목의 통증 등 ⑦ 경골京骨, 비양飛揚, 신맥申脈의 압통 ☞ 두통, 목현目眩, 요통, 치질 등 ⑧ 태계太溪, 대종大鍾, 조해照海의 압통 ☞ 급만성신장염, 인통咽痛, 숨참[氣喘] 등 ⑨ 대릉大陵, 내관內關의 압통 ☞ 관상동맥경화증, 협심증, 심근염 등 ⑩ 양지陽池, 외관外關의 압통 ☞ 각종 열병, 편두통, 이롱耳聾, 이명 등 ⑪ 태충太衝, 여구蠡溝의 압통 ☞ 간염, 간경화, 고혈압 등 ⑫ 구허丘墟, 광명光明, 족임읍足臨泣의 압통 ☞ 담낭 질환이나 눈의 질환

기타 혈위의 진단 응용 ① 장강長强(독맥)의 압통 ☞ 치질, 설사, 이질, 요배부의 동통 ② 구미鳩尾(임맥)의 압통 ☞ 심흉부의 통증, 위완통, 반위反胃 ③ 난미혈蘭尾穴의 압통 ☞ 장옹腸癰(충수염)

Chapter 10 맥진의 절차와 방법

학습목표

▶ 이 실습의 목적은 임상에서 환자에 대한 맥진을 실시하는 데 필요한 기본적인 절차와 자세에 대한 체험을 통해 수강생이 다음과 같은 수준에 도달하는 것을 실습의 목표로 한다.

1. 맥진脈診의 일반적인 자세를 취할 수 있다.
2. 고골高骨의 위치를 정할 수 있다.
3. 촌관척寸關尺의 부위를 정확히 촉지할 수 있다.

이상 3항의 정량적 달성 수준은 '성취도 평가 방법' 란에서 규정한다.

실습 1. 일반적인 맥진의 자세와 촌관척 정위

▶ **소요 시간** 90분

▶ **조 편성** 4인 1조로 진행

▶ **준비물**

1. 손목 받침, 팔꿈치 받침(수건 등으로 대체 가능)
2. 30cm 자 2개 (최소눈금 1mm)
3. 수성 필기도구(플러스펜 권장), 물티슈
4. 카메라(조당 1개, 스마트폰의 카메라 기능도 활용할 수 있다. 단, 한 조에서 하나의 카메라만 사용하는 것을 권장한다)

▶ **사전 준비 사항**

1. 실습에 임하기 전에 손목, 팔꿈치와 아래팔이 드러나면서 상박上膊을 압박하지 않는 복장을 갖춘다.
2. 실습장의 의자높이를 조절하여 실습자가 앉아 있을 때 테이블의 높이가 실습자의 팔꿈치 높이에 올 수 있도록 통일하여 각자 조절한다.
3. 실습 테이블의 네 군데 모서리에서 2인씩 짝을 지어 옆으로 마주 보는 형태가 실습에 편리하므로 좌석배치를 적절히 한다.

▶ **실습 절차**

1. 실습 의의, 목표 및 주의사항 안내

2. 준비물 지급

3. 적절한 기준점 확정과 피실습자(환자 역할 학생)의 자세 설정

   1) 먼저 아래의 기준점을 찾아 표시한다.

      (1) 요골경상돌기(styloid process of radius)

      (2) 해부학적코담배갑(anatomical snuffbox)

      (3) 주상골결절(tubercle of scaphoid)

      (4) 요골동맥(radial artery)

      (5) 제1중수골(1st metacarpal bone)

   2) 적절한 팔꿈치와 손목의 자세를 찾기 위해 앉은 자세에서 팔꿈치가 실습테이블에 닿게 하고 아래팔을 바닥에 대어 해부학적코담배갑이 위로 가도록 팔을 자연스럽게 앞으로 편다.(그림 10-1 참조)

   3) 제1중수골의 근위부와 고골高骨을 연결한 선이 아래팔과 수평이 되도록 하고, 그 자세에서 손가락은 힘을 빼서 자연스럽게 구부린 상태가 되게 한다.(그림 10-1 참조)

   4) 이때 손목의 높이는 심장과 같은 높이에 올 수 있도록 하고, 필요하면 손목 밑에 적당한 쿠션을 두어 손목을 편안하고 자연스럽게 한다.

  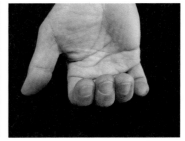

그림 10-1. 팔과 손목의 자세 　　　　그림 10-2. 왼손은 오른손으로 진맥 　　　　그림 10-3. 실습자의 촉지시 손모양

4. 촌관척寸關尺의 구분

   (촌관척 부위의 구분에 대한 내용은 「문헌고찰 및 실측에 근거한 맥진기 측정시 촌관척 정위에 대한 제안」[1] 에서 언급한 내용을 따른다.)

   1) 고골高骨의 약간[2] 근위의 전방향의 돌출된 뼈의 능선을 찾고 그 부위의 요골동맥 부분을 관부關部로 표시한다.

   2) 고골高骨에서 완관절 횡문[3] 까지의 거리를 측정하여 이 길이를 1촌寸으로 가정하고 관부關部에서 원위방향으로 6푼分 진행하여 촌부寸部를 표시한다.

   3) 고골高骨에서 주관절 횡문까지의 거리를 측정하여 1척尺으로 가정하고 관부關部에서 근위방향으로 6.5푼分 진행하여 척부尺部를 표시한다.

   4) 카메라로 손목과 렌즈의 거리를 15cm[4]로 하고 동일한 각도에서 촬영하여 영상을 저장한다. 이때 요골동맥 부위의 표시 부위에 자의 눈금이 잘 보이도록 찍으면 결과를 비교하기가 쉽다.(촬영시 손목에 고정한 자는 손목 횡문선을 기준점으로 배치하고 제1중수골 부위에 피실습자의 이름을 적어 다른 사진과 비교하기 쉽게 한다.)

   (그림 10-4, 5참조)

1) 김현호, 이전, 김기왕, 김종열. 대한한의학회지. 2007;28(3):13-22
2) 수 mm, 개인차가 있으므로 획일하게 정할 수 없음
3) 횡문이 확실하지 않을 경우 주상골결절 부위를 기준으로 횡문선을 판단한다.
4) 일정하게 변경가능

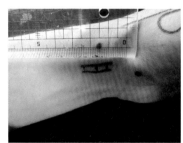

그림 10-4. 촌관척정위 결과 촬영   그림 10-5. 잘못된 촬영

5) 적절한 실습자(진찰자)의 맥진 자세 설정

    (1) 왼손으로 환자의 오른손을, 오른손으로 환자의 왼손을 진찰할 수 있도록 자리 잡는다.(그림 10-2참조)

    (2) 2, 3, 4지指 세 손가락을 활 모양으로 약간 구부리고 손가락 끝을 수평으로 하되 손가락의 가장 예민한 끝 부분(지복指腹)을 이용하여 피실습자(환자)의 요골동맥을 촉지할 수 있도록 한다.(그림 10-3참조)

    (3) 먼저 3지指로 관부關部를 촉지하고, 이어서 2지指와 4지指로 각각 촌부寸部와 척부尺部를 촉지한다.

6) 이와 같은 과정을 거쳐 모든 조원의 촌관척을 표시하고, 촉지해 본다.

7) 모든 조원에 대한 실습이 1회 끝나면 다시 한 번 전체의 과정을 반복하면서 실습보고서를 작성한다. (첫 번째 과정을 통해 숙지하고, 두 번째 과정을 통해 보고서를 작성한다.)

▶ 실습 주의 사항

기준점이나 촌관척 부위의 탐색시 과도한 압력이나 자극을 사용할 경우 다음 실습자에게 영향을 주므로 최대한 피실습자에게 자극을 적게 주도록 노력한다.

▶ 심화 학습

1. 사비맥斜飛脈이나 반관맥反關脈 등의 맥관 주행에 특이성을 가지는 경우에 어떻게 판단해야 할 것인가에 대해 토의해 보자.

2. 개개인의 신체적 특징(키, 팔의 길이, 비수肥瘦)에 따른 촌관척 정위의 특징을 각 조간에 발표하고 토론해 보자.

3. 손가락의 힘을 조절하거나 손가락을 이동하면서 맥상脈象의 변화를 찾는 '거舉', '안按', '심尋'의 의미를 촉지시의 감각을 통해 알아보자.

    ※『診家樞要』: "持脈之要有三 曰擧, 按, 尋。 輕手循之曰擧; 重手取之曰按; 不輕不重, 委曲求之曰尋。"(맥을 잡는 요령이 세가지가 있으니 거擧, 안按, 심尋이라 한다. 손가락을 가볍게 눌러 찾는 것을 '거擧', 무겁게 눌러 찾는 것을 '안按', 가볍지도 무겁지도 않게 자세하게 찾는 것을 '심尋'이라 한다.)

4. 위에서 제시한 실습의 절차 없이 손끝으로 촌관척위 위치를 잡을 수 있도록 여러 피실습자에 대하여 반복된 실습이 필요할 것이다.

▶ **대체 실습**

자외선 손전등과 자외선에 반응하는 염료를 사용하는 펜을 이용하여 촌관적 정위 오차를 가시화할 수도 있다.

▶ **정량적 달성 목표**

1. 각 조에서 같은 피실습자에 대한 관부關部에 대한 정위의 오차가 2mm(손끝의 2점역치가 대략 2mm 이므로) 이하로 실습자의 90%이상이 감별 가능해야 한다.
2. 진맥의 과정에 있어서 피실습자와 실습자의 적절한 자세를 실습자의 90%가 30초 이내에 설정할 수 있도록 하여야 한다.

▶ **성취도 평가 방법**

실습보고서에 기술된 적절한 자세에 관한 체크리스트와, 조원들의 촌관적 정위에 관한 결과를 바탕으로 위의 정량적 달성목표에 도달하였는지를 평가한다.

Chapter 11 기본 맥상 감별

학습목표

▶ 이 실습의 목적은 맥상脈象의 기본 속성에 해당하는 시간적, 공간적 특성을 임상 현장에서 인지할 수 있도록 오감을 활용한 체험을 하는 데 있으며, 수강생이 본 실습을 통하여 다음과 같은 수준에 도달하는 것을 실습의 목표로 한다.

    1. 맥박 촉지를 통해 부침浮沈 속성이 상반되는 두 맥을 서로 구별할 수 있다.

    2. 맥박 촉지를 통해 맥의 지삭遲數을 일정 수준에서 평가할 수 있다.

    3. 맥박 촉지를 통해 대소大小 및 장단長短 속성이 상반되는 두 맥을 서로 구별할 수 있다.

이상 3항의 정량적 달성 수준은 각 항의 '평가 방법' 란에서 규정한다.

실습 1. 부맥과 침맥의 감별

▶ **소요 시간** 2시간

▶ **조 편성** 8~10인 1조로 진행

▶ **준비물**

1. 혈압계. 임의 압력으로 가압 가능한 커프식(cuff式) 혈압계(수동식 혈압계가 적당). 조별 1셋 이상.

2. 맥박 센서 및 신호 전달용 전선. 콘덴서 마이크 유닛의 사용을 권장함. 기타 센서에 대해서는 아래에 별도 서술. 조별 1셋 이상.

3. 안대. 조별 1개 이상.

4. 컴퓨터. 조별 1대 이상(확보하기 어려울 경우에는 학생 소유의 노트북 컴퓨터 활용을 권장).

그림 준비물 예: 왼쪽으로부터 수동식 혈압계, 오디오 잭 및 케이블, 콘덴서 마이크 유닛, 안대

※ 맥박 센서

본 실습에서는 맥박의 존재와 상대적 크기를 계측할 수 있는 소형의 센서라면 어떠한 센서라도 사용 가능하다. 단 취득 용이성, PC 연결 용이성 및 민감도를 고려할 때 콘덴서 마이크 유닛이 본 실습의 측정 도구로서 적당하다(예: BSE社. CMT-64 ☞ http://www.ic114.com/ajaxwww/site/sc/00V0.aspx?ID_P=P0071431). 기타의 맥박 센서로 손쉽게 사용 가능한 것은 다음과 같은 것이 있다.

1. 저항 변화형 압력 감지 소재 : 압력에 따라 전기저항이 변하는 탄성체를 적절한 전원(건전지 또는 스위칭파워서플라이)에 연결하여 센서로 사용할 수 있다. 맥동은 발광다이오드(LED)로 확인할 수도 있고 디지털 오실로스코프로 확인할 수도 있다. (소재 예: ① https://www.devicemart.co.kr/1289988 ② https://www.4science.net/goods/detail.do?glt_no=4467)

2. 기전력 변화형 진동 감지 소재 : 압력 변화에 반응하여 기전력이 발생하는 소재(압전물질)를 맥박 감지 센서로 쓸 수 있다. 맥동을 확인하기 위해 디지털 오실로스코프가 필요하다. (센서 예: www.eleparts.co.kr/EPXCB9YX)

3. 반사형 광용적맥파 센서 : 동맥 주위에서 적외선을 입사시켜 그 반사량의 변동을 기록하면 용적맥파를 얻을 수 있다. 두께가 얇은(1cm 이내) 광용적맥파 센서를 구입하거나 제작할 수 있으면 이를 맥박 센서로 활용할 수도 있다. 맥동을 확인하기 위해 생리기록기(physiograph)나 디지털 오실로스코프가 필요하다.

▶ 사전 준비 사항

1. 콘덴서 마이크 유닛을 맥박 센서로 사용할 경우 다음과 같은 준비가 필요함

  1) 신호선과 마이크 유닛의 연결 : 납땜이나 기타의 방법을 이용하여 마이크 유닛을 오디오 잭에 결선結線함

  2) 신호 세기를 관찰할 수 있는 소프트웨어 준비 : 윈도우 운영체제에 기본 내장되어 있는 볼륨믹서를 사용할 수도 있으며 공개용 사운드 편집 프로그램(예: Audacity ☞ http://audacity.sourceforge.net/download/beta_windows)을 이용할 수도 있음

2. 기타의 센서를 사용할 경우에는 센서 종류에 따라 직류 전원, 발광다이오드, 디지털 오실로스코프, 생리기록기(physiograph) 등이 필요하며 신호 세기 또는 신호대잡음비의 사전 확인이 필수적임

3. 조별 1대 이상의 컴퓨터 할당이 불가능할 경우 개인 소유 노트북 컴퓨터를 지참할 것을 실습일 전에 사전 통보

▶ 실습 절차

1. 실습 의의 및 실습 절차 소개

2. 조 편성과 준비물 지급

3. 개인별 최초 촉지압력 및 최적 촉지압력 기록

  손가락으로 자신의 요골동맥 박동을 확인하고 가장 박동이 분명한 곳 위에 맥박 센서를 올린 후 혈압계 커프를 감아 고정한다. 이 때 맥박 센서에 고정을 위한 최소한의 힘만이 가해지도록 느슨하게 고정해야 한다. 이어 센서의 신호선을 컴퓨터 또는 신호 확인을 위한 기타의 기기에 연결하고 자신의 맥박과 일치하는 신호가 나타날 때까지 서서히 커프의 압력을 증가시킨다.

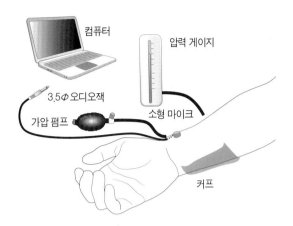

그림 11-1. 가압 커프(공기 주머니)와 소형 마이크 유닛을 이용한 맥의 부침(浮沈) 측정

맥박과 일치하는 신호가 나타나면 그 시점의 커프 압력을 기록한다. 이 압력이 아래 그림(소위 P-H추세도)의 '최초(최소) 촉지압력'에 해당한다. 이어 커프의 압력을 서서히 증가시키면서 신호 세기를 관찰하다가 신호 세기가 다시 줄어들면 바로 그 시점의 커프 압력을 기록한다. 이 압력이 아래 그림의 '최적 촉지압력'에 해당한다.

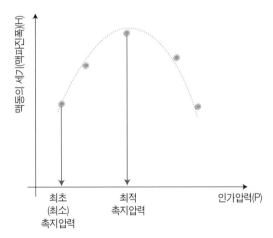

그림 11-2. 최초 촉지압력과 최적 촉지압력

4. 최적 촉지압력 기준으로 부침 특성이 가장 뚜렷한 학생을 선정

조원 전체에 대해 3의 과정이 완료되면 각자의 기록을 확인하여 가장 부맥 특성이 현저한 학생, 즉 최적 촉지압력이 가장 작은 학생과 가장 침맥 특성이 분명한 학생, 즉 최적 촉지압력이 가장 큰 학생을 선별한다. 이 때 다음 5의 과정을 위해 부침 각각에 대해 두 번째로 분명한 기록을 보였던 학생도 함께 선정한다.

5. 맹검(블라인드 테스트)을 통해 부침에 대한 지감(指感)을 훈련

맥진 연습을 할 학생은 안대를 착용하고 그 앞에 4에서 선정한, 부침 속성이 뚜렷한 두 명의 학생이 나란히 앉는다. 안대를 착용한 학생은 앞에 앉은 두 학생의 맥을 짚어보고 어느 쪽이 부맥 특성이 뚜렷한지 판별한다. 촉지 대상이 되는 학생을 착석 위치를 무작위로 바꾸어 가며 2회 동일한 시험을 실시한다. 2회 모두 정확히 알아맞혔

을 경우 판별 연습을 종료하고 그렇지 않은 경우에는 추가적인 연습을 실시한다. 맥진 연습을 할 학생이 4.에서 선정한, 부침 특성이 가장 분명한 사람일 경우에는 두 번째로 분명한 기록을 보인 학생을 맥진 대상으로 삼아 동일한 판별 연습을 시행한다.

▶ 실습 주의 사항

1. 1인당 할당 시간에 유의한다. 10인 1조로 1조당 기기 1셋을 지급한 경우 위의 실습절차 2단계를 대략 1인당 2분 이내에 완료해야 한다. 더 많은 수량의 기기를 지급했을 경우에는 이보다 여유 있게 실습 시간을 운용할 수 있다.
2. 통증을 느낄 정도의 압력을 가해도 신호 세기가 줄어들지 않으면 그 시점에서 가압을 중지하고 해당 시점의 가압력을 최적 촉지 압력으로 기록한다.

▶ 심화 학습

1. P-H추세도의 작성

    본 실습에서는 최초 촉지압력과 최적 촉지압력만을 기록하면 되지만, 시간적 여유가 있을 경우 다양한 가압력 수준에서 신호 세기를 측정하여 소위 P-H추세도(가압력에 따른 맥파 충격파 높이의 변동을 도시한 그래프)를 그려 볼 것을 권장한다.

2. 최초 촉지압력과 최적 촉지압력의 상관성 고찰

    최적 촉지압력이 아닌 최초 촉지압력 기준으로 맥의 부침을 정의할 수도 있다. 그러나 신호 세기의 문제로 최초 촉지압력을 정확히 측정하는 것은 쉽지 않으므로 본 실습에서는 최적 촉지압력을 기준으로 맥의 부침을 구분하도록 하였다. 하지만 최초 촉지압력을 기준으로 부침을 구분하는 경우도 적지 않으므로 최초 촉지압력이 최적 촉지압력과 어떤 관계를 갖는지, 즉 양자간에 뚜렷한 양의 상관관계가 나타나는지 확인해 보는 것이 좋다. 회귀 분석을 시행하거나 상관도를 그려볼 수 있다.

3. 진폭 변동 경향 기준의 부침과 최적 감지압력 기준의 부침에 대한 토의

    왕숙화(王叔和, 201~280)의 『맥경脈經』에는 『난경』에서 비롯한, 맥의 촉지 깊이를 기준으로 한 부맥의 정의("浮者, 脈在肉上行")와 함께 가압에 따른 세기 변동의 형태를 기준으로 한 부맥의 정의("浮脈, 擧之有餘, 按之不足")를 동시에 기록해 두었다. 이 때문에 오늘날까지 맥의 부침이 과연 맥의 촉지 위치를 말하는 것인지 누르기에 대한 반응 형태(누를수록 강해지는가, 누를수록 약해지는가)를 말하는 것인지에 대해 논란이 있는 실정이다. 두 가지 기준 사이에서 맥의 부침을 어떻게 정의해야 할 것인지에 관해 유관 자료를 찾아보고 조원들과 토의해 본다.

▶ 대체 실습

1. 부침 감별이 가능한 맥진기(예: (주)대요메디의 3D Mac)가 조별 1대 이상 있을 경우, 기기의 고유 기능을 이용하여 P-H추세도를 얻고(실습 과정의 4단계를 대체) 이를 통해 개인별 맹검(실습 과정의 5 단계)을 실시할 수 있다.
2. 혈압계가 준비되지 못할 경우에는 일정한 무게를 갖는 다수의 분동과 클램프(분동 지지용)를 이용하여 단계별 가압을 하며 신호 세기의 변동을 관찰할 수도 있다.

▶ **정량적 달성 목표**

수강생 집단에서 20% 수준(상하위 각 10%, 10명 중 상하위 각 1명)에 해당하는 맥의 부침을 80%의 확률로 바르게 감별(수강자 중 오답 제시자 20% 이하)할 수 있다.

▶ **성취도 평가 방법**

1. 평가 요소와 배점: 지식, 술기, 태도 영역으로 나누어 각 각 20%, 70%, 10% 배점. 지식 영역의 평가는 생략할 수 도 있다(필기 평가 결과로 대체).

2. 술기 평가

그림 11-3. 맥상 감별 능력 평가를 위한 맹검(블라인드 테스트)

   1) 수강생 집단에서 각 조별로 맥의 부침이 가장 현저히 나타난 학생(10명 1조 편성일 경우 상하위 각 10%에 해당)과 유사한 부침 수준을 가진 2명의 자원자(각각 부맥 특성과 침맥 특성이 나타난 자)를 선택하여 몸을 은닉한 채 손만을 노출시키고, 이어 수험자로 하여금 어느 자원자가 부맥 특성이 뚜렷하며 어느 자원자가 침맥 특성이 뚜렷한지 감별하도록 한다.

   ※ 술기 평가를 위한 자원자를 구할 경우 부침, 지삭, 대소, 장단, 활삽 등 모든 속성에서 뚜렷한 치우침을 보이는 자원자를 찾는 것은 쉽지 않다. 따라서 섭외된 자원자의 맥을 측정해 보아 뚜렷한 치우침이 확인된 일부 속성만으로 맥상 감별 실기 평가를 진행할 것을 권장한다.

   2) 맥진 자세, 박동 촉지 위치, 가압 동작 등이 적절한지도 평가한다.

3. 지식 요소의 평가: 실기 평가 응답지 작성 내용 또는 (경우에 따라) 간단한 현장 응답을 통해 맥상 감별에 관련된 바른 지식을 가지고 있는지 평가한다. 학사 운영상 실기 평가에 충분한 시간이 확보되지 않을 경우에는 지식 요소의 평가를 생략할 수도 있다.

4. 태도 요소의 평가: 모의 환자에게 적절한 자기 소개와 인사를 하는지(비록 모의 환자가 은닉되어 있다 하더라도) 평가하며 모의 환자로 하여금 각 수험생의 태도 요소에 특이 사항이 없는지 기록하도록 하여 평가에 반영한다.

실습 2. 맥의 지삭遲數 평가

▶ **소요 시간** 30분

▶ **조 편성** 3인 1조(실습 1에서 편성한 조 내에서 다시 편성하는 것을 권장한다)

▶ **준비물**

시계. 초秒를 확인할 수 있는 시계라면 어떤 것이라도 무방하며, 휴대폰이나 컴퓨터 등 시계 대용으로 사용할 수 있는 기기를 사용해도 된다. 2인당 1개 이상 준비한다.

▶ **사전 준비 사항**

학생들의 안정: 심장 박동은 육체 활동과 정서 상태에 영향을 받으므로 실습자가 어느 정도 안정된 후 맥의 지삭 측정 실습을 진행하는 것이 좋다. 실습 시간의 중반부 이후에 본 실습을 배치하는 것이 적절하다.

▶ **실습 절차**

1. 실습 의의 및 실습 절차 안내
2. 준비물 확인
3. 분당박동수 추정

   3인 1조로 한 사람은 피험자 역할을 맡고 다른 한 사람은 피험자의 왼손을, 또 다른 한 사람은 피험자의 오른손을 잡고 맥박을 측정한다. 이 때 한 사람은 시계를 보며 맥박수를 세고, 한 사람은 시계를 보지 않고 분당박동수(bpm, beat per minute)를 추정한다. 시계를 보고 맥박을 세는 사람이 30초(시간적 여유가 있을 경우에는 1분)가 지난 후 임의의 시점에서 맥진을 중단시키고 상대로 하여금 분당박동수 추정 결과를 말하도록 명한다.
4. 반복 실습

   3 의 과정을 학생마다 3회 반복한다. 3회 모두 분당박동수 추정의 오차가 10회(10bpm) 이하가 되어야 한다. 그렇지 않은 경우에는 개별 연습을 권고한다.

▶ **실습 주의 사항**

1인당 할당 시간에 유의한다. 1인당 3분 이내로 마치는 것이 적절하다.

▶ **심화 학습**

1. 『황제내경』에서는 호흡을 기준으로 맥의 지삭을 구분하였다. 그런데 이 때 이 호흡이 환자(측정 대상자)의 호흡을 말하는 것인지 비교적 정상 범위의 주기를 갖는 의사(측정자)의 호흡을 의미하는 것인지에 대해 해석상의 논란이 있다. 전자에 따르면 지맥과 삭맥은 환자의 호흡회수 대비 맥박수를 기준으로 정의되어야 하며 후자에 따르면 지맥과 삭맥은 단순히 분당 맥박수로 정의되는 것이 좋다고 할 수 있다. 어느 쪽을 선택할 것인지 관련 자료를 찾아보고 조별 토의를 진행한다.

▶ **대체 실습**

시계와 함께 맥박을 계수計數할 수 있는 기기(맥진기, SpO₂센서 등)를 1인당 1개 이상 준비할 수 있을 때는 1인 1조로 실습을 진행한다.

▶ **정량적 달성 목표**

수강생의 90% 이상이 측정 대상자의 맥박수를 분당 10회 이하의 오차로 추정할 수 있다.

▶ **성취도 평가 방법**

위에서 설명한 실습 1의 성취도 평가 방법에 준하여 평가를 진행하되 측정 대상자 2인가운데 어느 쪽의 맥이 지맥인지 삭맥인지 구분하는 문항 외에 측정 대상자 중 한 사람의 분당 맥박수를 추정하는 문항을 설정하여 추정 오차를 확인한다.

주의: 맥의 박동 주기는 지속적으로 변화하므로 수험자의 평가 시점에 측정 대상자(자원자)의 맥박 주기를 동시에 측정하여 수험자의 응답과 비교해야 한다. 따라서 맥의 지삭에 대한 수강생의 실습 성취도 평가를 하고자 할 때 담당 교수는 실시간으로 맥의 박동 주기를 측정할 수 있는 기기(가급적 2개)를 준비하여야 한다.

실습 3. 맥의 대소와 장단 비교

▶ **소요 시간** 30분

▶ **조 편성** 8~10인 1조로 진행(실습 1에서 편성한 조를 그대로 이용한다)

▶ **준비물**

1. 수성 필기도구. 피부 위에 맥관 주행을 표시하기 위한 필기도구를 준비한다. 굵기가 가늘수록 좋으며, 쉽게 구할 수 있는 필기도구로는 플러스펜이 적당하다. 2인당 1개 분배가 적당.

2. 필기 내용을 지우기 위한 도구. 1 의 필기도구로 피부에 표시한 선을 그리기 위한 도구를 준비한다. 솜과 물을 준비하는 것도 가능하며 물티슈를 준비해도 좋다. 1개 조(8~10명)에 1~2셋 필요.

3. 자. 0.2mm 이하의 길이 측정이 가능한 자. 버어니어 캘리퍼스 또는 루페(소형 돋보기)가 부착된 자(예1 http://mirscience.com/shop/item.php?it_id=1961411280 예2 http://www.speedmall.co.kr/mall/search/goods_no_having_child.jsp?str_prd_cd=B11HW)를 이용해도 되고 프린터로 0.2mm 간격의 눈금을 출력하여 이를 자로 활용해도 된다. 단 이 경우 눈금이 매우 조밀하므로 돋보기를 함께 준비하는 것이 좋다. 조마다 2개(2셋) 이상 분배.

4. 안대. 조당 2개 이상 분배.

그림 준비물 예. 왼쪽부터 플러스펜, 물 통, 솜, 돋보기, 프린터로 미세 눈금을 출력한 종이 띠, 안대

▶ **사전 준비 사항**

없음

▶ **실습 절차**

1. 실습 의의 설명 및 절차 안내

2. 준비물 확인

3. 지급된 필기도구로 피부 위에 맥동 부위를 표시

   2인이 1조를 이루어 한 사람이 상대방의 팔목에서 요골동맥의 박동을 세밀하게 촉지하고 박동이 감지되는 곳 위에 수성 필기도구로 촉지 가능한 맥관 주행부를 묘사한다. 이 때 가능한 한 맥관의 변연부를 정확하게 표시하도록 한다.

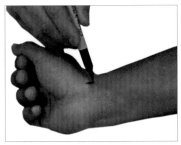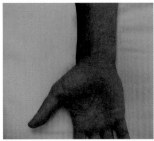

그림 11-4. 피부에 맥관 주행 형태를 묘사하는 모습(좌)과 그 결과(우)

4. 피부에 묘사된 맥관의 폭과 길이(유효 촉지 길이)를 측정

3에서 상대방의 피부 위에 그려 둔 맥관 모양을 대상으로 그 폭과 길이를 측정한다. 이 때 1 mm 이하의 측정 정밀도가 요구되므로 버어니어캘리퍼스를 이용하거나 미세눈금을 측정할 수 있는 자와 돋보기(준비물 3번)를 이용한다.

5. 맥의 대소 및 장단 감별 연습

8~10명의 조 내부에서 가장 맥 폭이 좁은 사람과 가장 맥 폭이 넓은 사람을 선정하여 조원 각각이 차례로 안대를 착용한 채 감별 시험(블라인드 테스트)을 실시한다. 자신이 가장 맥 폭이 넓거나 좁은 사람일 경우에는 두 번째로 넓거나 좁은 사람을 택하여 동일한 감별 시험을 실시한다. 측정 대상자의 위치를 무작위로 바꾸어 가며 1인당 2회 감별시험을 실시하여 맥의 대소를 정확히 가렸을 경우 실습을 종료하고 그렇지 않을 경우에는 추가적인 반복 연습을 한다. 시간적 여유가 있을 경우에는 같은 방법으로 맥의 장단에 대해서도 감별 시험을 실시한다.

▶ **실습 주의 사항**

맥관 주행의 형태에 변이가 큰 피험자, 즉 사비맥斜飛脈이나 반관맥反關脈을 보이는 피험자가 있을 수도 있다. 이 경우에는 좌우의 요골동맥 가운데 정상 주행을 보이는 맥관을 선택하여 실습을 진행한다. 이 역시 여의치 않을 때는 측정 대상에서 제외한다.

▶ **심화 학습**

1. 현맥弦脈 특성의 관찰

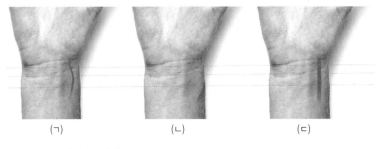

(ㄱ)   (ㄴ)   (ㄷ)

그림 11-5. 다양한 맥관 주행 형태

손에 촉지되는 맥관의 형태는 대개 약간의 굴곡을 보인다(위 그림의 ㄱ, ㄴ). 그러나 때로 맥관이 직선에 가까운 주행 형태를 보일 수 있는데(위 그림의 ㄷ) 고전에서는 현맥弦脈이 그러한 특징을 가지고 있다고 보았다("弦脈, 超超端直長"-『瀕湖脈學』). 맥관의 굴곡 정도와 맥관의 팽팽함弦脈, 緊脈의 특성이 실제로 관련이 있는지 알아본다.

2. 동맥의 종축縱軸 요동과 맥의 대소

요골동맥은 동맥 박동 주기에 맞추어 그 종축이 주기적 요동을 한다. 이것이 손가락 끝에 느껴지는 맥관의 굵기와 어떤 관련이 있을지 조사해 본다. 초음파 스캐너가 있을 경우 초음파 스캐너를 이용하여 요골동맥의 종축 요동 진폭과 표면에서 촉지되는 맥관 너비의 상관성을 직접 관찰해 본다.

3. 인간 촉각의 공간해상도

인간의 촉각이 가지는 공간 해상도는 얼마나 되는지 조사하거나 실측해 본다.

▶ 대체 실습

맥의 대소 또는 장단을 측정할 수 있는 맥진기 또는 초음파 스캐너가 있을 경우 이 기기를 이용하여 맥의 대소 장단을 직접 측정하고(실습 과정의 3, 4를 대체) 측정 결과를 바탕으로 맥의 대소 및 장단 감별 시험을 진행한다. ※ 본 실습서의 『맥관의 초음파 영상 촬영과 분석』 실습과 병행할 수 있다.

▶ 정량적 달성 목표

수강생 집단에서 20% 수준(상하위 각 10%, 10명 중 상하위 각 1명)에 해당하는 맥의 대소와 장단을 80%의 확률로 바르게 감별(수강자 중 오답 제시자 20% 이하)할 수 있다.

▶ 성취도 평가 방법

위에서 설명한 실습 1의 성취도 평가 방법에 준하여 평가를 진행하되 측정 대상자 2인가운데 어느 쪽의 맥이 더 굵은지(대맥大脈에 해당하는지) 알아맞히는 것을 술기 평가의 내용으로 한다.

참고: 이상 3개 항의 기본 맥상 측정 실습 외에 맥의 활삽滑澁을 감별하는 실습을 진행할 수도 있다. 이 경우에는 맥진기 또는 맥파계가 필요하다.

실습 4. 맥상의 개인별 차이점 습득 실습

▶ **소요 시간** 100분

▶ **조 편성** 6~7인 1조로 진행

▶ **준비물**

1. 맥상脈狀 익히기 : 浮沈, 遲數, 虛實, 大小, 長短을 기준으로 변별력을 체득한다.
2. 맥상의 개인별 차이점을 체득한다(正常脈象에 대한 다양성 포함).

▶ **실습 절차**

1. 자신의 맥상을 浮沈, 遲數, 虛實, 大小, 長短 등을 기준으로 충분히 확인한다.
2. 개인별 순환 맥진하기 - 개인별로 다른 사람의 맥상을 순서대로 측정한다.
   1) 조별 단위로 상호간 맥진을 2회 이상 반복 실시한다.
      (1) 浮沈, 遲數, 虛實, 大小, 長短을 기준으로 각각의 특성 맥상을 확인한다.
      (2) 浮沈, 遲數, 虛實, 大小, 長短의 기준 외에 다른 특성이 나타나는지 확인한다.
   2) 조별교차 맥진을 다음과 같은 순서로 실시한다.
      (1) 1조-2조, 3조-4조, 5조-6조 교차맥진실시
      (2) 1조-3조, 2조-6조, 4조-5조 교차맥진실시
      (3) 1조-4조, 2조-5조, 3조-6조 교차맥진실시
      (4) 1조-5조, 2조-4조 교차맥진실시
      (5) 1조-6조, 2조-3조 교차맥진실시
      (6) 3조-5조, 4조-6조 교차맥진실시
3. 각각의 기준으로 확인된 결과를 종합하여 본다.
4. 자신이 기록한 종합맥상과 다른 사람들이 기록한 종합맥상을 비교·검토한 후 일치도를 확인한다. - 이때 실습시 간관계상 반 전체를 비교 할 경우 시간이 부족하므로 각 조별 단위로 시행한다.

▶ **실습 주의 사항**

1. 교차 맥진시 1인당 할당 시간을 일정하게 배분하고 배분된 시간내에 맥진을 수행해야만이 반 전체의 학생들이 골고루 맥진을 진행 할 수 있다.
2. 교차 맥진을 위한 테이블 이동시 정숙한 분위기를 유지해야 한다.

▶ **실습보고서 작성**

1. 자신의 맥상을 충분히 확인한 후 본인란에 체크(√) 및 기록한다.
2. 다른 사람의 맥상을 浮沈, 遲數, 虛實, 大小, 長短기준으로 특성을 확인후 해당란에 체크(√)한다.
3. 기준 외의 다른 특성에 해당하면 합당한 맥상을 기타란에 기록한다.
4. 종합란에는 1, 2, 3항을 종합하여 조합한 맥상을 기록한다(예, 浮數虛脈, 浮緊脈, 滑數脈 등).

5. 개인별 맥진표 작성에 대하여 총괄하여 설명한다.

6. 자신이 기록한 4항의 종합맥상과 다른 사람들이 기록한 종합맥상을 비교 · 검토한 후 일치율를 작성하고 견해를 밝힌다. - 조별 단위로 하므로, 6명으로 구성된 조의 경우 6명이 모두 일치할 경우 100%, 5명이 일치할 경우 83%, 4명이 일치할 경우 66%, 3명이 일치할 경우 50%, 2명이 일치할 경우 33%, 각각 다른 경우 16% 등으로 기록한다. 이는 종합맥상의 신뢰도를 추정할 수 있는 자료가 된다.

▶ 정량적 달성 목표

학생 100% 이상이 학생집단 전체를 대상으로 맥상의 개인차를 직접 맥진을 통해 체득한다.

▶ 성취도 평가 방법

1. 조별평가(공동점수부과) - 한조에 1-2명식 무작위 선발 후, 개인별 맥진표작성과 종합맥상 일치도에 대하여 총괄하여 발표하도록 하고 이를 정성적으로 평가한다.

2. 개별평가(개별점수부과) - 실습 보고서의 충실도를 보고 정성적으로 평가한다.

Chapter 12

맥안 강독

실습 1. 맥안 강독

▶ **소요 시간** 100분

▶ **조 편성** 6~7인 1조로 진행

▶ **실습목표**

1. 맥안을 중심으로 변증시치하는 훈련을 습득한다.
2. 맥안을 중심으로 변증시치가 가능토록 한다.

▶ **실습방법**

1. 각조에 脈案을 분담한다. 맥안 예:『蕭通吾脈訣及脈案』(山西人民出版社, 1981)

〈分擔〉

1조 - 浮脈 : 案1, 案2, 案3, 按語

2조 - 沈脈 : 案1(再診, 三診), 案2, 按語

3조 - 遲脈 : 案1(再診), 案2(再診), 按語

4조 - 數脈 : 案1, 案2(再診), 按語

5조 - 虛脈 : 案1(再診), 案2, 案3, 按語

6조 - 實脈 : 案(再診), 按語

2. 분담받은 脈案에 대하여 각 조에서 그룹스터디를 통해 解讀 및 分析을 공동진행하고 그 결과를 종합하여 본다.(40분)

3. 그룹스터디를 통하여 종합한 내용을 전체 학생 대상으로 講讀을 실시한다.(각 조당 강독담당자를 무작위 1명 선발하여 시행한다. - 각조당 10분간 배당).

▶ **실습보고서 작성**

1. 각 조에서 그룹스터디를 통한 과정(개인적 느낀점, 상호간의 의견차이 등)을 보고서에 기록한 후 제출한다.

2. 각 조에서 그룹스터디를 통한 결과를 공동으로 종합한 후 워드프로세서로 작성하여 제출한다.(제출방법은 따로 정한다.)

▶ 정량적 달성 목표

학생 90% 이상이 脈案을 이해한다.

▶ 성취도 평가 방법

1. 그룹스터디에 대한 참여도 및 적극성, 진지성 등을 정성적으로 평가한다.

2. 강독의 내용(해독력, 분석력, 고찰력 등)을 정성적으로 평가한다.

3. 원문 및 강독내용을 파일로 제출한다.- 내용의 충실도를 정성적으로 평가한다.

Chapter 13

안진按診 실습

학습목표

▶ 이 실습의 목적은 임상에서 환자에 대한 안진을 실시하는데 필요한 기본적인 절차와 자세에 대한 체험을 통해, 수강생이 본 실습을 통하여 다음과 같은 수준에 도달하는 것을 실습의 목표로 한다.

    1. 안진의 주요한 내용과 종류를 숙지하여, 기본적인 안진항목들을 수행할 수 있다.

    2. 복진의 순서 및 방법을 숙지하고, 복진을 수행하여, 그 결과를 기술할 수 있다.

    3. 수혈 안진의 순서 및 방법을 숙지하고, 수혈 안진을 수행하여, 그 결과를 기술할 수 있다.

    이상 3항의 정량적 달성 수준은 각 항의 '평가 방법' 란에서 규정한다.

실습 1. 복진 실습

▶ **소요 시간** 100분

▶ **조 편성** 조당 6-7명으로 조편성을 한다 (필요시 양성을 분리하여 조를 구성한다).

▶ **준비물**

    1. 침대, 베게, 담요

    2. 청진기

    3. 실습복

    4. 필기구

▶ **사전 준비 사항**

    1. 실습복을 착용한다 (실습시 상호간 검사자와 피검사자의 역할을 위해 탈의가 편한 복장을 갖추고 반드시 실습복을 착용한다).

    2. 실습실 환경을 갖춘다(탈의시 적정한 실내온도유지 설비 및 필요시 커튼이 있는 침대를 준비한다).

    3. 조별 피검대상 지원자 2명을 미리 선발한다.

    4. 실내의 온도를 25℃ 내외로 따뜻하게 유지한다.

    5. 실습자는 가급적 공복상태를 유지하고, 식사 최소 2시간이 지난 후 실습에 참여하도록 한다.

▶ **실습 절차**

1. 실습 의의 및 실습 절차 소개한다.
2. 수강생들은 조를 정한다.
3. 한의사 역할과 환자 역할을 정한다.
4. 검사자는 피검자에게 정중히 검사에 대한 필요성을 설명한다. 검사하고자 하는 부위를 미리 피검자에게 고지하고 체위(탈의포함)를 취하도록 한다.
5. 복진을 실시하기 전, 검사자는 손을 따뜻하게 하여 검사시 환자가 불쾌감을 느끼지 않도록 한다.
6. 복진을 실시한다.
7. 복진 후 피검자에게 정중히 안진의 종료를 고지한다.
8. 복진 결과 및 수행한 검사결과를 실습보고서에 기재한다.
9. 환자 역할을 맡은 수강생은 한의사 역할을 맡은 학생 중 1명과 역할을 바꾸어 복진을 실시하고, 실습보고서에 기재한다.
10. 실습보고서는 피검대상자 1명에 대하여 작성한 후 제출한다.

▶ **실습 주의 사항**

1. 실습이 정숙한 분위기에서 진행될 수 있도록 각자 최선을 다하고, 안진시 다른 조에 방해가 되지 않도록 조심하고, 자리이동을 삼간다.
2. 민감한 부분들이 노출되기 때문에 참여자들이 서로 존중하는 마음을 갖도록 한다.
3. 복부에 필요이상의 과도한 압력이나 자극이 가해지지 않도록 한다.

▶ **정량적 달성 목표**

수강생 집단에서 95% 이상이 기본적인 안진방법을 습득하고, 객관적으로 실습보고서에 작성이 가능해야 한다.

▶ **성취도 평가 방법**

실습보고서에 안진중심 진료부에 필요한 모든 사항이 적절하게 기록되었는지 여부를 정성적으로 평가한다.

▶ **과제물**

다음의 常見 腹證을 그림으로 나타내고, 證候에 관하여 설명하시오.

1. 胸脇苦滿
2. 心下痞, 心下痞滿, 心下痞硬, 心下濡, 心下急, 心下痛
3. 胸腹動悸腹圖
4. 腹脹滿, 腹痛
5. 少腹拘急, 少腹急結
6. 腹皮拘急
7. 少(小)腹硬滿, 小腹不仁

실습 2. 수혈안진 실습

▶ **소요 시간** 100분

▶ **조 편성** 조당 6-7명으로 조편성을 한다 (필요시 양성을 분리하여 조를 구성한다).

▶ **준비물**

1. 베드 2. 안진(胸腹背部圖 및 前後面 全身圖 포함)차트 3. 필기구

▶ **사전 준비 사항**

1. 실습가운을 착용한다 (실습시 상호간 검사자와 피검사자의 역할을 위해 탈의가 편한 복장을 갖추고 반드시 실습 가운을 착용한다).
2. 안진실 환경을 갖춘다(탈의시 적정한 실내온도유지 설비 및 필요시 커텐이 있는 베드를 준비한다).
3. 조별 피검대상 지원자 2명을 미리 선발한다.

▶ **실습 절차**

1. 수혈안진의 일반적인 자세에 대하여 이해한다.
2. 검사자는 피검자에게 정중히 검사(수혈안진)에 대한 필요성을 설명한다.
3. 검사하고자 하는 부위를 미리 피검자에게 고지하고 체위(탈의포함)를 취하도록 한다.
4. 수혈안진시 사용되는 도구(손, 혈위탐측기 등)를 최적화한다(도구로 인한 피검사자의 냉열반응자극 등을 최소 화한다).
5. 수혈안진을 진행하기 전에 먼저 望診(舌診포함), 聞診, 問診 등을 진행할 수 있다.
6. 수혈안진을 진행한다. - 이때 흉복부 안진, 맥진 및 심음, 폐음의 청진도 수행할 수 있다.

   1) 수혈안진의 검사방법(取穴基準) 및 주의점에 대하여 숙지한다.

      (1) 胸部 - 膻中
      (2) 上腹部 - 中脘
      (3) 下腹部 - 關元,
      (4) 背腰部分 - 第7頸椎棘突下 - "大椎" 穴
      (5) 肩胛上平 - 第3胸椎棘突 - 身柱穴, 肺俞
      (6) 肩胛下角平 - 第7胸椎棘突 - 至陽穴, 膈俞
      (7) 腸骨上緣 - 第4腰椎棘突 - 陽關穴, 大腸俞

   2) 다음 각 俞穴按診 穴位를 실습보고서에 기입하고 피검자를 대상으로 확인한다.

      腹募穴, 背俞穴, 原穴, 絡穴, 郄穴

   3) 각 계통 병증에 따른 상용혈위를 피검자를 대상으로 확인한다.

      (1) 呼吸系(肺疾患) : 肺俞 , 中府, 膻中, 太淵.
      (2) 循環系(心疾患) : 厥陰俞 , 心俞 , 巨闕, 大陵.
      (3) 消化系

肝疾患 : 肝俞, 期門, 太衝.

脾疾患 : 脾俞, 章門, 太白.

膽疾患 : 膽俞, 日月.

胃疾患 : 胃俞, 足三里.

　(4) 泌尿生殖系

腎疾患　　: 腎俞, 氣海, 太溪.

大腸疾患 : 大腸俞, 天樞.

小腸疾患 : 小腸俞, 關元.

膀胱疾患 : 膀胱俞, 中極.

子宮疾患 : 次髎, 三陰交.

月經疾患 : 三陰交, 外陵.

7. 수혈안진후 피검자에게 정중히 수혈안진의 종료를 고지한다.

8. 수혈안진 결과에 대한 소견을 작성한다.

▶ 실습 주의 사항

실습이 정숙한 분위기에서 진행될 수 있도록 각자 최선을 다하고, 수혈안진시 다른 조에 방해가 되지 않도록 조심하고, 자리이동을 삼간다.

▶ 정량적 달성 목표

수강생 집단에서 100% 이상이 기본적인 수혈안진방법 및 俞穴按診穴位을 습득할 수 있도록 한다.

▶ 성취도 평가 방법

1. 실습보고서의 충실도를 정성적으로 평가한다(실습자는 실습보고서에 혈위의 진단적 의미를 추가기록하여 심화학습을 할 경우는 이를 평가에 반영할 수 있다).

2. 혈위진단술기 실습시의 적극적인 참여도를 정성적으로 평가한다.

▶ 실습보고서

1. 실습보고서는 피검대상자 2명중 한명에 대하여 작성한 후 제출한다.

2. 단, 피검대상자 본인의 경우는 다른 피검자 1인에 대하여 실습한 후 진료부를 작성한다.

3. 실습소견서란에 피검대상자 2명에 대한 비교관찰을 추가할 수 있다.

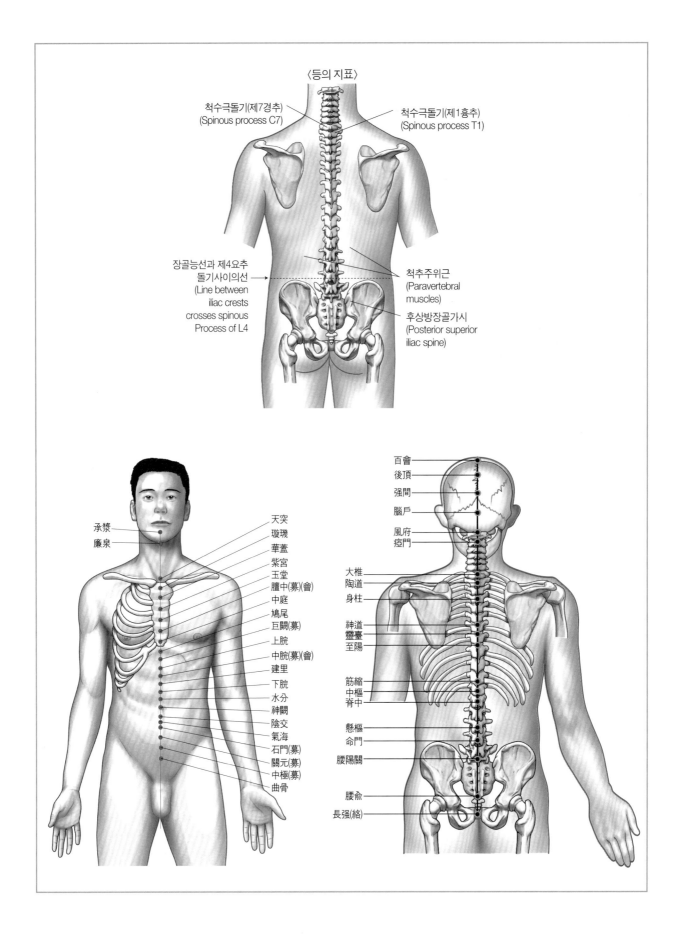

〈등의 지표〉

척수극돌기(제7경추)
(Spinous process C7)

척수극돌기(제1흉추)
(Spinous process T1)

장골능선과 제4요추
돌기사이의선
(Line between
iliac crests
crosses spinous
Process of L4)

척추주위근
(Paravertebral
muscles)

후상방장골가시
(Posterior superior
iliac spine)

承漿
廉泉

天突
璇璣
華蓋
紫宮
玉堂
膻中(募)(會)
中庭
鳩尾
巨闕(募)
上脘
中脘(募)(會)
建里
下脘
水分
神闕
陰交
氣海
石門(募)
關元(募)
中極(募)
曲骨

百會
後頂
强間
腦戶
風府
瘂門

大椎
陶道
身柱
神道
靈臺
至陽
筋縮
中樞
脊中
懸樞
命門
腰陽關
腰兪
長强(絡)

Chapter 2. 두면부의 망진과 촬영 및 분석

실습보고서 1		
보고자 분반 :	학번 :	성명 :
날짜 : 20 . .		
실습조원 성명 :		

안면 영상	
안면부 정면 사진	안면부 측면 사진
안면부 뒷면 사진	추가특징부위사진

Chapter 2. 두면부의 망진과 촬영 및 분석

실습보고서 2

보고자 분반 :	학번 :	성명 :

날짜 : 20 . . .

실습조원 성명 :

안면 영상에 대한 특징보고서	
안면부 정면 특징 그림	안면부 측면 특징 그림
특징 설명	특징 설명

안면 영상에 대한 특징보고서	
안면부 뒷면 특징 그림	추가 특징 부위 그림
특징 설명	특징 설명

Chapter 3. 망진(전신 및 국소) 슬라이드 관찰 및 체득

실습보고서 1

보고자 분반 :	학번 :	성명 :
날짜 : 20 . . .		
실습조원 성명 :		

전신 망진 관찰 소견	
개인별 관찰 소견	

상호간 교차비교 검토 후 토론 소견	추가 진찰방법 및 내용

MEMO.

Chapter 3. 망진(전신 및 국소) 슬라이드 관찰 및 체득

실습보고서 2

보고자 분반 :	학번 :	성명 :
날짜 : 20 . . .		
실습조원 성명 :		

전신 망진 관찰 소견
개인별 관찰 소견

상호간 교차비교 검토 후 토론 소견	추가 진찰방법 및 내용

MEMO.

Chapter 3. 망진(전신 및 국소) 슬라이드 관찰 및 체득

실습보고서 3

보고자 분반 :	학번 :	성명 :
날짜 : 20 . . .		
실습조원 성명 :		

전신 망진 관찰 소견	
개인별 관찰 소견	

상호간 교차비교 검토 후 토론 소견	추가 진찰방법 및 내용

MEMO. _____

Chapter 4. 혀 영상의 촬영과 분석

실습보고서 1

보고자 분반 :	학번 :	성명 :
날짜 : 20 . . .		
실습조원 성명 :		

전신 망진 관찰 소견	
혀 배면부 사진	설하정맥 사진
우측 혀 사진	좌측 혀 사진

MEMO.

Chapter 4. 혀 영상의 촬영과 분석

보고자 분반 :	학번 :	성명 :
날짜 : 20 . . .		
실습조원 성명 :		

설태의 색 분석	선택영역의 평균 색 정보		
혀 배면부	RGB	R (적색)	
		G (녹색)	
		B (청색)	
	CIE-L*ab	L*	
		a*	
		b*	
설태분석을 위한 선택영역을 표시하시오.			

색 공간

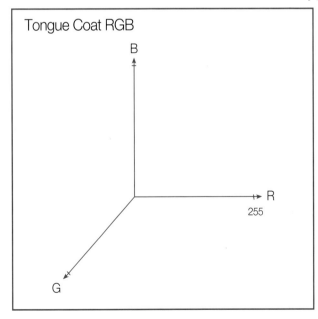

Tongue Coat RGB

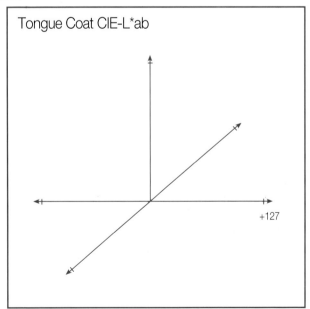

Tongue Coat CIE-L*ab

MEMO. _____

Chapter 4. 혀 영상의 촬영과 분석

실습보고서 3

보고자 분반 :		학번 :		성명 :
날짜 : 20 . .				
실습조원 성명 :				

<table>
<tr><td colspan="3" align="center">설질의 색 분석</td></tr>
<tr><td align="center">혀 배면부</td><td align="center">우측 혀</td><td align="center">좌측 혀</td></tr>
<tr><td colspan="3"></td></tr>
<tr><td colspan="3" align="center">설질분석을 위한 선택영역을 표시하시오.</td></tr>
</table>

선택영역의 평균 색 정보				
		혀 배면부	우측 혀	좌측 혀
RGB	R (적색)			
	G (녹색)			
	B (청색)			
CIE-L*ab	L*			
	a*			
	b*			

MEMO.

색 공간

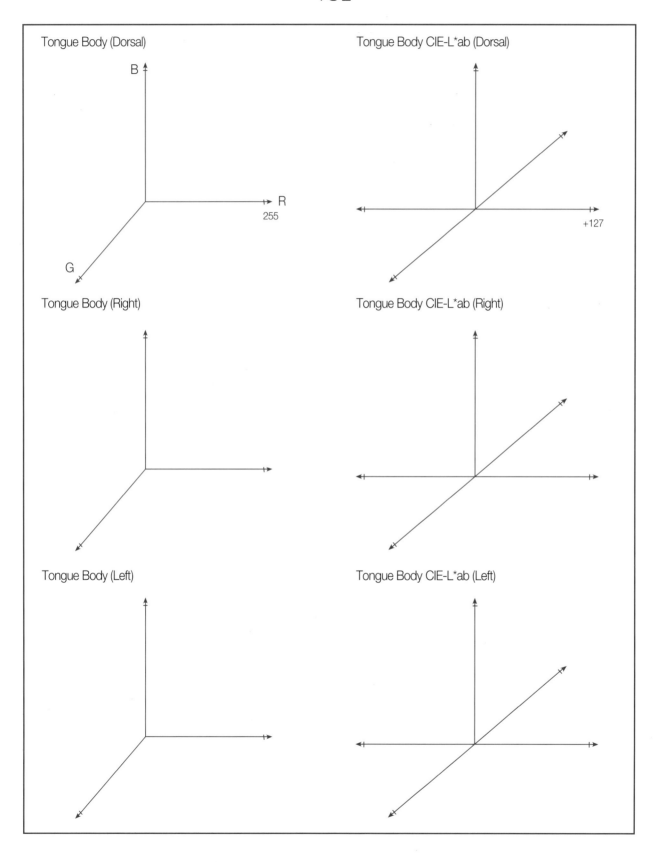

Chapter 4. 혀 영상의 촬영과 분석

실습보고서 4

보고자 분반 :	학번 :	성명 :

날짜 : 20 . .

실습조원 성명 :

※ 슬라이드를 보고 설질과 설태에 해당하는 소견에 각각 "○" 하시오.

1차 평가표

Slide No.	舌質								舌苔					
	淡白	淡紅	紅	絳	靑紫	藍	黑	其他	白苔	微黃苔	黃苔	灰苔	黑苔	其他
1														
2														
3														
4														
5														
6														
7														
8														
9														
10														
11														
12														
13														
14														
15														
16														
17														
18														
19														
20														
21														
22														

Slide No.	舌質								舌苔					
	淡白	淡紅	紅	絳	靑紫	藍	黑	其他	白苔	微黃苔	黃苔	灰苔	黑苔	其他
23														
24														
25														
26														
27														
28														
29														
30														
31														
32														
33														

MEMO.

2차 평가표

Slide No.	舌質								舌苔					
	淡白	淡紅	紅	絳	靑紫	藍	黑	其他	白苔	微黃苔	黃苔	灰苔	黑苔	其他
1														
2														
3														
4														
5														
6														
7														
8														
9														
10														
11														
12														
13														
14														
15														
16														
17														
18														
19														
20														
21														
22														
23														
24														
25														
26														
27														
28														

1단원-망진

Slide No.	舌質								舌苔					
	淡白	淡紅	紅	絳	靑紫	藍	黑	其他	白苔	微黃苔	黃苔	灰苔	黑苔	其他
29														
30														
31														
32														
33														
34														
35														

MEMO. _____

Chapter 4. 혀 영상의 촬영과 분석

실습보고서 5

보고자 분반 :	학번 :	성명 :
날짜 : 20 . . .		
실습조원 성명 :		

자신의 색값

	L	a	b
舌質			
舌苔			

기준 색값

색차 (⊿E)

색차 (⊿E)가 가장 작은 것

Chapter 4. 혀 영상의 촬영과 분석

실습보고서 6

보고자 분반 :	학번 :	성명 :
날짜 : 20 . . .		
실습조원 성명 :		

자신의 색값

	L	a	b
舌質			
舌苔			

기준 색값

색차 (⊿E)

색차 (⊿E)가 가장 작은 것

Chapter 5. 초음파 영상의 촬영과 분석

실습보고서 1			
보고자 분반 :		학번 :	성명 :
날짜 : 20 . . .			
실습조원 성명 :			

MEMO.

Chapter 5. 초음파 영상의 촬영과 분석

실습보고서 2		
보고자 분반 :	학번 :	성명 :
날짜 : 20 . . .		
실습조원 성명 :		

MEMO. _____

Chapter 5. 초음파 영상의 촬영과 분석

실습보고서 3		
보고자 분반 :	학번 :	성명 :
날짜 : 20 . . .		
실습조원 성명 :		

MEMO. _____

Chapter 8. 병력 청취와 진료부 작성

진취절

실습보고서 1

보고자 분반 :		학번 :		성명 :	
날짜 : 20 . .					
실습조원 성명 :					

환자 신상정보	성별	M / F	나이	만 세
	신장	cm	체중	kg

주소증(C/C)	
발병일(O/S)	
현병력(PI)	
과거력(PH)	
가족력(FH)	
사회력(SH)	
계통적 문진	頭面 胸背 腹 皮膚 四肢 飮食 大便 小便 睡眠 月經 其他

MEMO. _____

Chapter 8. 병력 청취와 진료부 작성

실습보고서 2		
보고자 분반 :	학번 :	성명 :
날짜 : 20 . . .		
실습조원 성명 :		

진료부

보험자	기호		피보험자 증번호	-	성명		
	명칭				나이		(여/남)
피보험자성명			주민등록 번호		전화(자택)		
수신자성명					이동전화		

주소CC와 & 발병Onset	주소	
현병력PI	택배	
과거력PH	메모	
가족력FH	舌/脈	
사회력SH		
신체검사	Imp. & Plan	

頭面
胸背
腹
皮膚
四肢
飮食
大便
小便
睡眠
月經
其他

Progress Note.

Date	Note	Sign

절 취 선

2단원-문진

Chapter 8. 병력 청취와 진료부 작성

실습보고서 3

보고자 분반 :	학번 :	성명 :
날짜 : 20 . . .		
실습조원 성명 :		

〈진료부의 특징〉

Chapter 10. 맥진의 절차와 방법

실습보고서 1

보고자 분반 :	학번 :	성명 :
날짜 : 20 . . .		
실습조원 성명 :		

	피실습자 성명		
1. 피실습자 체크리스트 (o:yes, x:no) (피실습자 기재)			
기준점은 적절한 방법으로 잘 찾았는가?			
피실습자의 팔과 손목의 위치를 거부감 없이 적절히 잘 유도 하였는가?			
실습자가 피실습자에게 적절한 위치를 유도하는데 걸리는 시간은 30초 이내였는가?			
촌관척의 위치를 찾는 과정에서 팔과 손목의 통증은 없었는가?			
손목의 높이가 심장과 비슷한 위치에 있게 하였는가?			
진찰하는 손은 환자의 손과 반대쪽 손이었는가?			
맥진시 실습자의 촉지부분이 손끝의 가장 예민한 부분이었는가?			
손 끝에 주어진 힘이 너무 강하거나 너무 약하지 않았는가?			
실습절차에서 제시한 관부關部의 위치를 적절히 찾았는가?			
실습절차에서 제시한 촌부寸部, 척부尺部 위치 기준을 잘 지켰는가?			
2. 실습자 체크리스트 (o:yes) (실습자 기재)			
자신이 표시한 관부關部의 위치가 다른 실습자들의 표시부위와 일치하는가? (2mm 이내) (일치하지 않으면 그 차이를 기재)			
자신이 표시한 촌부寸部의 위치가 다른 실습자들의 표시부위와 일치하는가? (2mm 이내) (일치하지 않으면 그 차이를 기재)			
자신이 표시한 척부尺部의 위치가 다른 실습자들의 표시부위와 일치하는가? (2mm 이내) (일치하지 않으면 그 차이를 기재)			
표시한 부위를 촉지하는 데 손가락의 위치가 어색함은 없었는가? (하단 별도 기재 가능)			
실습자의 체형상 특징이나 기타 특이사항이 있다면 기술하시오. (하단 별도 기재 가능)			
뒷면에 사진을 수록 (파일로 제출 가능) (파일형식:일자_조_실습자_피실습자.jpg) (ex. 0314_1_허길동_홍길동.jpg)			
기타 사항			

3단원_절진

Chapter 11. 기본 맥상 방법

실습보고서 3

보고자 분반 :	학번 :	성명 :
날짜 : 20 . . .		
실습조원 성명 :		

1. 부맥과 침맥의 감별

   자신의 맥을 측정한 결과

   1) 최초 촉지압력(mmHg):

   2) 최적 촉지압력(mmHg):

   (오른쪽 도표에 자신의 측정 값을 도시)

(세로축: 맥동의 세기(맥파진폭)(H), 가로축: 인가압력(P))

(조원 성명 ◐)									
최초 촉지압력 (mmHg)									
최적 촉지압력 (mmHg)									

1차 감별 시도 성공 여부 ( ) 2차 감별 시도 성공 여부 ( ) (○=성공, ×=실패)

실습 메모 및 심화 학습 내용

2. 맥의 지삭 평가

   조원의 시험 결과

(조원 성명 ◐)									
1차 시도의 오차(bpm)									
2차 시도의 오차(bpm)									
3차 시도의 오차(bpm)									

보고자의 시도 차수별 성공 여부 1차 ( ) 2차 ( ) 3차 ( )

(○=성공, ×=실패. 오차가 10 이하일 경우 성공으로 판정)

실습 메모 및 심화 학습 내용

3. 맥의 대소장단 확인

(조원 성명 ❍)									
脈幅(mm)									
脈長(mm)									

1차 감별 시도 성공 여부 ( ) 2차 감별 시도 성공 여부 ( ) (○=성공, ×=실패)

실습 메모 및 심화 학습 내용

Chapter 11. 기본 맥상 방법

조	성명	浮沈		遲數		虛實		大小		長短		기타	종합	일치율
		浮	沈	遲	數	虛	實	大	小	長	短			
1-1														
1-2														
1-3														
1-4														
1-5														
1-6														
1-7														
2-1														
2-2														
2-3														
2-4														
2-5														
2-6														
2-7														
3-1														
3-2														
3-3														
3-4														
3-5														
3-6														
3-7														
4-1														
4-2														
4-3														
4-4														
4-5														
4-6														
5-1														
5-2														
5-3														
5-4														
5-5														

한의진단학 맥진실습보고서 (　　　　년　　월　　일　　요일)

작성자 : 반(　　) 조(　　) 학번(　　　　　) 이름(　　　　　)

5-6												
5-7												
6-1												
6-2												
6-3												
6-4												
6-5												
6-6												

개인별 맥진표 작성에 대한 총괄

종합 맥상 일치도에 대한 견해

Chapter 12. 맥안 강독

실습보고서 1

보고자 분반 :	학번 :	성명 :

날짜 : 20 .   .   .

실습조원 성명 :

脈案講讀
개인별 소견
상호간의 공통점 및 차이점

Chapter 13. 안진按診 실습

실습보고서 1

보고자 분반 :	학번 :	성명 :
날짜 : 20 . . .		
실습조원 성명 :		
피검자 성명 :		

望診 항목	상태
1. 복벽의 색깔	
2. 복벽의 潤燥	
3. 늑골궁각	예각 / 둔각
4. 腹脹의 유무	有 / 無
5. 복부 함몰의 유무	有 / 無
6. 기타 피부 이상 반응(瘀斑 등)	

按診 항목	상태
1. 복부전체의 긴장도:	
2. 복벽의 발한 정도:	
3. 피부온도:	
4. 腹脹의 유무: 有 / 無	
5. 복직근의 긴장:	
右: 有 / 無 左: 有 / 無	
6. 心下部의 긴장: 有 / 無	
7. 臍動悸: 有 / 無	
8. 振水音: 有 / 無	
9. 小腹不仁: 有 / 無	
이상 복진 소견	

MEMO.

Chapter 13. 안진按診 실습

실습보고서 2			
수혈안진	날짜 : 20 . . .		
보고자 분반 :	학번 :		성명 :
피검자 성명		성별(男 · 女) 年齡 세	

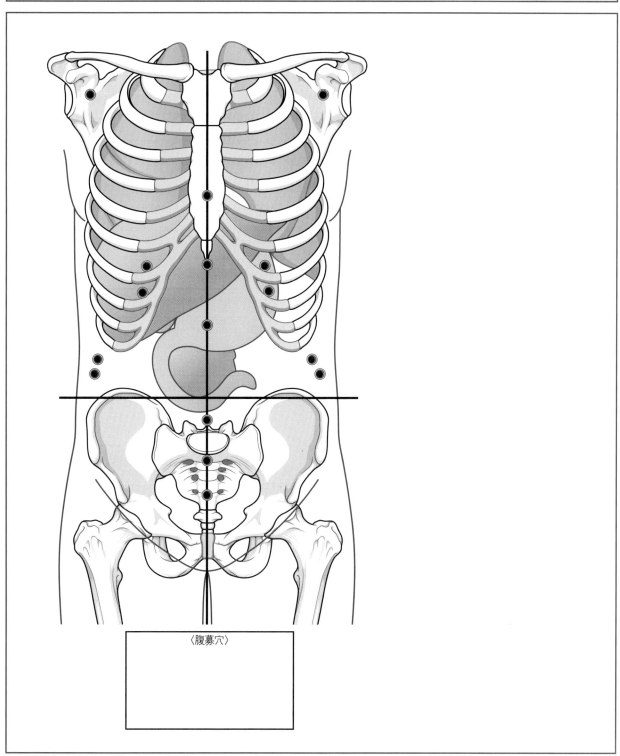

〈腹募穴〉

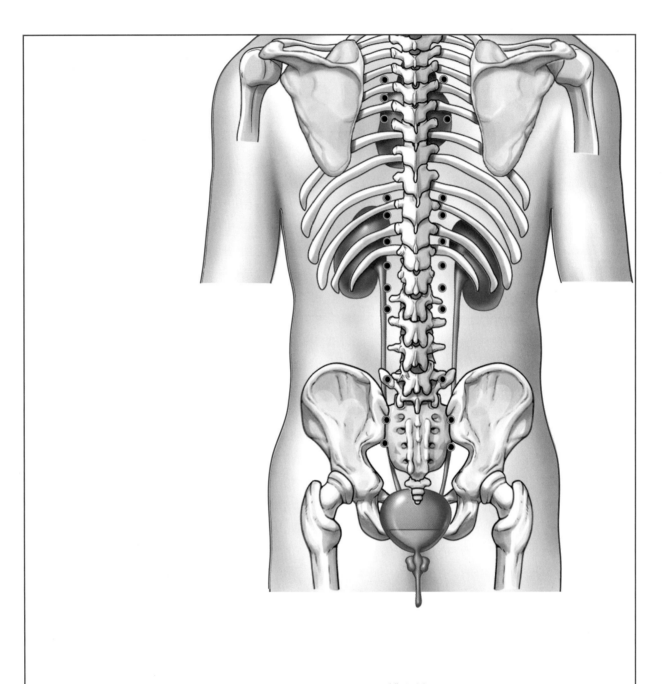

〈背俞穴〉

절 취 선

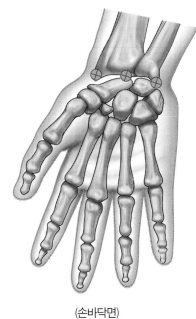

(손바닥면)

손의 음경의 원혈

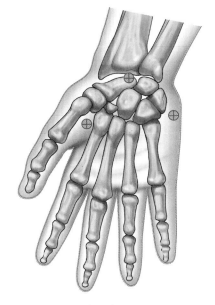

(손등면)

손의 양경의 원혈

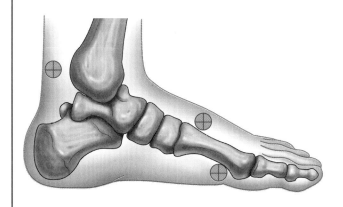

(발 내측면)

발의 음경의 원혈

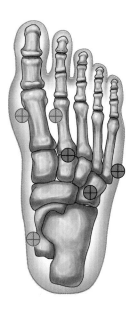

(발등면)

발의 음경과 양경의 원혈

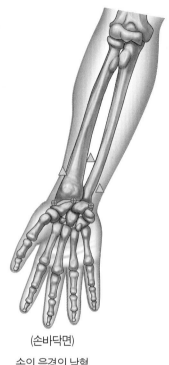

(손바닥면)

손의 음경의 낙혈

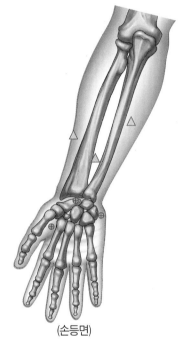

(손등면)

손의 양경의 낙혈

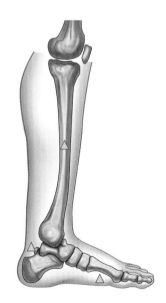

(발 내측면)

다리의 음경의 낙혈

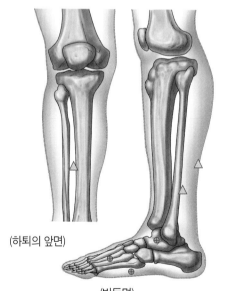

(하퇴의 앞면)

(발등면)

다리의 양경의 낙혈

절 취 선

3단원·절진

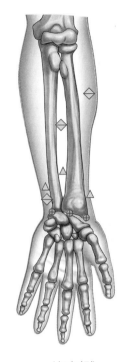

(손바닥면)

손의 음경의 극혈

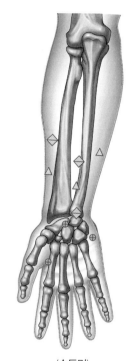

(손등면)

손의 양경의 극혈

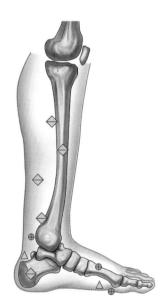

(발 내측면)

다리의 음경의 극혈

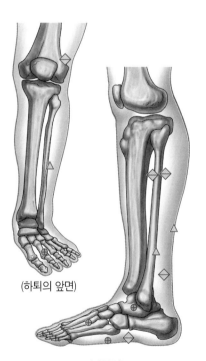

(하퇴의 앞면)

(발등면)

다리의 양경의 극혈

수혈안진 실습 후 소견